Het verdriet van Eline

Jan Paul Bresser

Het verdriet van Eline

VERHALEN

Anthos|Amsterdam

In het hoofdstuk 'Een zonderling' zijn citaten opgenomen uit M. Vasalis, *Verzamelde gedichten*, uitgeverij G.A. van Oorschot. Vierde druk maart 2011.

ISBN 978 90 414 1804 3
© 2011 Jan Paul Bresser
Boekverzorging Zeno
Foto auteur Merlijn Doomernik

Verspreiding voor België:
Veen Bosch & Keuning uitgevers n.v., Antwerpen

It was the best of times, it was the worst of times
– A Tale of Two Cities, Charles Dickens

De Molenstraat

Ik sta voor het open raam en zie hoe het vroege morgenlicht de nevels van de Hofvijver wegwuift en de eerste zwanen tevoorschijn komen en met hun sierlijke halzen de zon vangen, net iets eerder dan de eenden en de meeuwen die rond het kleine eiland dobberen. Er zit een duif op de schouder van Johan de Witt en even verderop zie ik dat het oude hoofd van Johan van Oldebarnevelt ook al wat zon krijgt en zich koestert onder de rijen Hollandse linden, die al sinds mensenheugenis op de Lange Vijverberg staan. Ik geniet van de stad als de dag nog niet begonnen is. De eerste tram die tinkelend over de Kneuterdijk naar Scheveningen gaat. De fietsers met hun aktetassen onder de snelbinders en hun deinende rugzakjes en wapperende jassen. De wandelaars op het schelpenpad, die niet veel meer te doen hebben dan naar het Binnenhof gluren aan de overkant. Of er al licht brandt in het Torentje. En de enkele koffiedrinker in de schaduw van een krant op het terras beneden mij. Het uitzicht is iedere dag anders. Ik hou van de Plaats waar ik woon.

Ik ben geen goede slaper en vannacht kwam het in me op dat bijna niemand meer weet dat ik geboren ben boven een groenteboer in de Molenstraat. En niemand weet dat de groenteboer mijn vader was en dat mijn allereerste herinnering de geur van aardappelen is. Ze werden iedere donderdag vanaf een houten kar met een paard ervoor onze kleine kelder in gekieperd. Door een luik in de stoep. Altijd vroeg in de morgen, rond zes uur. Ook op de morgen van de eerste lentedag van 1929. Mijn moeder zei later dat ik op het geroffel van vallende aardappelen ter wereld ben gekomen.

Mijn ouders waren altijd vroeg op, om vijf uur, en ik weet nog dat ik reikhalzend mijn blonde wijsneus door het halfopen schuifraam stak om te kijken of het paard er al aankwam. Met de deken over zijn rug. En kleine Piet ernaast, die altijd naar boven keek en met zijn pet zwaaide. Hij klakte vrolijk met zijn tong het paard de stoep op en parkeerde de kar boven ons luik. En dan ging het lossen vanzelf.

Het rook naar ons. Het rook veilig en vertrouwd. Het rook naar de wangen van Pietje. Het rook naar mijn eerste verbazing. Het rook bekend. De aardappelen roken naar mijn Molenstraat.

Mijn vader deed goede zaken met de eigenheimers, want wij waren allemaal aardappeleters, zeker in de jaren dat ik begon te lopen en een strik in mijn haar kreeg en de ruimte van de straat verkende en de lengte van de tijd. Je kunt je niet meer voorstellen hoelang een dag duurde en hoe ver de stoep was aan de overkant. Hoe mijn moeder op mooie dagen appels met een doek tot blozen wreef en ze dan buiten op een rek voor het raam in een kistje naast elkaar neerlegde, heel rustig, een voor een, alsof ze van gekleurd glas waren. Hoe ze de gewassen kroppen andijvie als groene bloemen tegen elkaar schikte en de bloemkolen en de bossen met peentjes en de stengels prei. Hoe ze stapeltjes maakte van de stoofperen. En van de tomaten. Ze nam er de tijd voor.

Het moet er mooi uitzien, kind, zei ze altijd.

En dan ging ze aan de overkant van de smalle straat staan kijken hoe het er bij ons bij stond en stak ze in haar lange blauwgeruite schort haar duim naar me op. Meestal tilde ze me dan even later op en kreeg ik een knuffel en een appel. Mijn appel. Ik rook er altijd meteen aan. Zoet en koud. Dan was het goed.

Eerst aan appels ruiken en ze dan pas kopen. Dat doe ik nog steeds. Dat doe ik bij bijna alle groente. Er even aan snuffelen. Ook als ik niets wil kopen. Even aan de bloemkool ruiken. Even de sterke geur van prei opsnuiven en voelen of de tomaten stevig zijn. En zelfs gluur ik soms nog steeds of er geen pitten in de aardappelen zitten. Mijn moeder kon het niet hebben. Aardappelen die uitliepen. Aardappelen met pitten.

Bijna niemand had het breed, behalve die lui van het oude hof, zei mijn vader altijd. En dan wees hij met zijn hoofd schuin naar de overkant, waar achter de huizen, onder de Koningspoort door, de koningin woonde. In Paleis Noordeinde. Met haar prins-gemaal en haar enige dochter. Ze hadden een stoet lakeien en een koets van goud.

Op Koninginnedag kreeg ik twee oranje strikken in mijn vlechten en hing iedereen in de Molenstraat de vlag uit. Er was kermis in de stad. Ik weet nog hoe duizelig ik was van twee keer achter elkaar in de draaimolen en hoe ik door mijn moeder werd opgetild in het vlooientheater, omdat ik niet kon geloven dat een paar vlooien een koetsje konden trekken. Ik vergeet nooit meer de sissende poffertjes op de grote bakplaat in een tent met spiegels, het stuiven van poedersuiker door de zeef, het kluitje smeltende boter. De poffertjes waren zo heet dat je ze moeilijk in je mond kon houden. Pas op dat je je mond niet brandt, kind.

Ik proef ze nog.

Waaraan mijn moeder gestorven is, weet ik nog steeds niet. Ik was maar net negen jaar toen ze plotseling naar het ziekenhuis moest en mijn vader nog diezelfde avond thuiskwam en me op schoot nam en me niets vertelde. Alleen maar dat moe er niet meer was. En ik zat maar tegen hem aan mee te huilen, zonder dat ik wist waarom. Ik denk nog steeds dat we toen uren bij elkaar hebben gezeten. Het was verdriet waar we geen raad mee wisten. Hij liep er niet mee te koop en ik kende het niet, groot verdriet.

Het waren tijden waarin mannen niet huilden. Het was een lieve, koppige man, mijn vader. Aan het begin van de oorlog heeft hij de groentewinkel opgegeven. Hij kon het alleen niet meer aan. En ik had last van het onbekende gevoel van eenzaamheid, van verlies, van gemis.

Als kind dacht ik dat er aan het einde van de Molenstraat niets meer was. En toen ik leerde lezen en de binnenstad leerde kennen en in de zomer het strand van Scheveningen, en ik te weten kwam dat ons huis aan de achterkant werd beschut door een echte schuilkerk, bleef de Molenstraat toch mijn ding, zoals ze dat tegenwoordig zeggen, helemaal mijn ding.

Ik wilde weten of mijn Molenstraat de enige in het land was. Of dat er meer Molenstraten waren. Van de juffrouw op school hoorde ik dat ze op het postkantoor waarschijnlijk wel telefoonboeken van het hele land hadden en daar vast iets kon vinden. Het is een van de meest gelukkige momenten in mijn leven geweest en – raar hè? – ik moet er zeventig jaar later nog steeds om huilen.

Ik mocht van een vriendelijke postbeambte achter het loket komen en op een krukje bij de openbare telefoon in de hoek gaan zitten, achter een schot aan de tafel met de telefoonboeken. Hij wees me op het boek met de A van Aalsmeer en Amsterdam. Het waren dunne gidsen, want een telefoon hebben was nog bijzonder. Dus ging ik met mijn wijsvingertje langs namen en adressen. De eerste Molenstraat die ik daar vond, was een sensatie. Ik kon mijn geluk niet op. Alsof ik de maan had ontdekt.

'Ik heb er een,' riep ik door het postkantoor.

Iedere week mocht ik op woensdagmiddag een uurtje terugkomen. Ik was het meisje van de telefoon en leerde zoeken en noteren, kort en duidelijk. Honderden Molenstraten waren er. Iedere stad en ieder dorp had wel een Molenstraat. Ik schreef ze allemaal op, ook de Molenpleinen en de Molenstegen en Molenhoeken. En zelfs een Molenlaantje.

Wat blijven vroege herinneringen toch helder en sterk. Hinkelstoepjes in je geheugen. Veel beter dan herinneringen van gisteren en eergisteren. Die vervliegen voordat je er erg in hebt. In gaten zonder spiegels.

Als ik er aan terugdenk, ruik ik het weer, ben ik er weer, zit ik weer voor het raam. Met de vitrages om mij heen, als een sluier van licht. Toen we samen vertrokken naar Monster, naar het akkerland onder de rook van Den Haag, nam ik de Molenstraat mee. Alles. De hele herinnering aan de straat. Het licht in de namiddag. De geur van aardappelen.

Ik kon toen natuurlijk niet weten dat ik later, veel later, me telkens weer zou verheugen op wandelingen vanuit het Molenbosch door de velden van Benedictus, die daar uitgestrekt liggen te dagdromen, tegen de flanken van het Drents-Friese Wold. Iedere zomer ga ik daar in het voorjaar drie weken logeren, tot op de dag van vandaag. Zolang het nog gaat tenminste. Zolang mijn benen nog willen. Ik heb altijd het gevoel dat ik daar terugwandel in de tijd. Terug naar de Molenstraat van voor de oorlog, terug naar rustig aan, dan breekt het touwtje niet. Terug naar het touwtjespringen.

Af en toe kijk ik nog weleens in een telefoonboek in de bibliotheek. Of er in Almere een Molenstraat is. Of in een andere nieuwe stad. Molenstraat. Altijd keek ik even. Toen Anne Vondeling voorzitter van de Tweede Kamer werd wilde ik weten of er in het Friese dorp Appelscha waar hij vandaan kwam een Molenstraat was. Ik kon het niet laten. Ik ben ook nooit helemaal weg uit de Molenstraat. Ik kom er nog steeds. Het liefst in de lente, als in de namiddag altijd op hetzelfde uur de lage zon er binnenvalt, met de lange schaduwen van mijn jeugd. Er is veel en niets veranderd.

Ik ben even verderop hier op de Plaats terechtgekomen. Onder het beeld van Johan de Witt, die hier op het Groene Zoodje samen met zijn broer zo gruwelijk is omgebracht. Zijn afgehakte tong ligt nog steeds in het Historisch Museum aan de overkant en trekt veel bekijks. Hij moest eens weten, de arme man. Ik woonde boven een boekhandel, maar die is er al lang niet meer. Alleen de kleine lift is er nog, tot mijn grote geluk. Die was er om de voorraad boeken naar de zolder te brengen. Ik woonde tussen de boeken in. Dat gaf me een wonderlijk veilig gevoel, weet ik nog. Tussen dichters en denkers wonen. Ik ben een langzame lezer. Af en toe lag er een boek op de trap. Een presentexemplaar noemde de mevrouw van de boekhandel dat. Ze toetste mijn smaak. Het *bittere kruid* van Marga Minco vond ik mooi. Heb ik de mevrouw dat eigenlijk wel laten weten?

Ach ja. Ouwe mensen hè, en dingen die verdwenen zijn.

Als ik het niet meer weet, heb ik er vrede mee. Het zijn kleine stukjes die hun puzzel kwijt zijn. Je krijgt ze niet meer allemaal op hun plaats. Steeds meer lege plekken in de muur van het kasteel en in de wolken en beetjes landschap en brokjes horizon. Het terugkerende zinnetje van 'o ja, zo was het, dat is het, o ja'.

Steeds meer mist. Soms is het ook wel prettig.

Ik ben een meisje van Schoevers en leerde vlak na de oorlog typen en steno. Iedere dag op de fiets van Monster naar de stad en terug. De oorlog is een vage blinde vlek in mijn geheugen. Alleen een smal spoor naar mijn vader tussen landarbeiders in een omgeploegd aardappelveld. En dichtgeplakte ramen op de mulo, en huilen toen we hoorden dat een meisje van school bij het bombardement op het Bezuidenhout was omgekomen. Het loeien van de sirenes hoor ik nog steeds.

Ik kon met mijn negens en tienen van Schoevers onmiddellijk in de Tweede Kamer terecht. Ik heb er veertig jaar op dezelfde plek gezeten, in de Oude Zaal, met mijn rug naar de Kamerleden, die met elkaar maar net pasten in de groene bankjes tussen de dikke groene gordijnen. Toen de gordijnen werden weggehaald voor de nieuwe Kamer, ben ik ook gegaan. Ik was er blij om.

Mijn Tweede Kamer had iets intiems, de buitenwereld kwam niet zo hard naar binnen. Voor mij waren het dames en heren en de voorzitter en de griffier en mevrouw Marga Klompé natuurlijk en mevrouw Haya van Someren en mevrouw Hannie van Leeuwen, die heb ik nog steeds hoog zitten. Hannie van Leeuwen heeft haar democratische hart op de enige juiste plek zitten en dat is aan de linkerkant. Anders klopt het niet, denk ik er altijd bij. Ik schaam me dat haar eigen partij haar in de steek laat. Een mastodont, hoe durven ze.

Ik heb in de Tweede Kamer gezeten, zonder ooit mijn mond open te hebben gedaan. Ik notuleerde de vergaderingen. Ik heb de oude Willem Drees nog gekend en de hele stoet daarna, van de freule en de boer tot Joop den Uyl en de jongeheer Wiegel. De naam van de freule werd altijd verhaspeld, ook met flauwe grappen, zoals Tuttebel

Wielewaal van de Stoep Vegen. Ik spel haar naam nog steeds goed. Freule Wttewaall van Stoetwegen. Ze liep kordaat met een wandelstok en was al van de oude stempel toen wij nog lang niet modern waren.

Ik had een stille plaats in het parlement. Je hoort en ziet alles en je hebt niets te zeggen. Ik moet wel toegeven dat ik blij ben er niet meer te werken. Ik ben van de generatie met een rok tot ver over de knieën en na ieder ongepast woord je mond moeten spoelen. Je stem verheffen kwam in de Kamer nauwelijks voor. Schreeuwen al helemaal niet. Het kon er wel knetteren, maar dat is iets anders dan een Kamerlid voor knettergek uitmaken.

Maar ja, tijden veranderen. Daar is niets aan te doen. Hoewel. Willem Drees zat net zo deftig op zijn rijwiel als minister Donner vandaag de dag op zijn fiets onderweg naar het Binnenhof.

Ik was misschien wel de laatste juffrouw steno. Luisteren en noteren is in mijn genen gaan zitten, zeggen ze tegenwoordig. Als ik kinderen zou hebben gehad dan hadden ze vast nooit een keel opgezet. Helaas zijn ze er niet, want de grote liefde, zal ik maar zeggen, was vier jaar onrust om niets. De hele wereld lag aan mijn voeten, dacht ik. Maar het waren eendagsvlinders in mijn buik. Er kwam een groot ongeduldig kind in mijn huis en in mijn bed, een lastpak en een leugenaar. De man van mijn dromen en mijn koppijn. Laat ik het er maar niet over hebben. Het is al zo lang geleden en het is bijna weg.

Mijn overgebleven begeerte zit voor mijn gevoel al bijna een leven lang achter glas. Zoals een goudvis die in een aquarium altijd naar adem lijkt te happen, terwijl hij onophoudelijk zijn verhalen aan de wereld kwijt wil. Als je goed kijkt, zie je dat hij niet hapt maar práát.

Die nieuwsgierigheid is tot op de dag van vandaag het beste middel tegen mijn handicap. Stramme benen is nog mooi gezegd voor een dichtgeslibd stroomgebied van spataderen. Ik heb altijd pijn in mijn knieën. Je moest ook eeuwig blijven zitten in de Tweede Kamer. De leden konden rustig weglopen en hadden achter de gordijnen hun wandelgangen. Ik ben daar wel jaloers op geweest. Ik wist dat het daar gebeurde. Nu niet meer, het zijn meer loopgraven geworden en valkuilen.

Ik had buiten de deuren van de Tweede Kamer mijn vaste wandelgang op het Lange Voorhout. Als het kon iedere dag. Mijn morgenwandeling en mijn avondwandeling. Onder de bomen en door velden met krokussen in het voorjaar. In de zomer zat ik op zondag graag even op het terras in de binnentuin van Pulchri voor een kopje koffie en soms een glas wijn en ging ik altijd even naar nieuwe schilderijen kijken. Ik wandel er nog steeds, veel minder, maar met evenveel genoegen. Tot mijn verrassing is er weer een schelpenpad neergelegd. Je hoort het. Het knispert onder je schoenen. Het weerkaatst een geluid van lang geleden. Het ontroerde me dat ik het geluid weer kon thuisbrengen. Het was iets van de zee midden in de stad.

'Zoo ik ièts ben, ben ik een Hagenaar.'

Ik blijf altijd even staan voor Louis Couperus. Ze zouden het beeld eigenlijk moeten opfleuren. Hij staat er een beetje droevig bij, vind ik, vlak voor het kantoor waar Bordewijk heeft gewerkt, de schrijver van *Karakter*. Ik dacht laatst nog: Ik vind het meer de deurwaarder Katadreuffe, met die gedrongen schouders en die zuinige blik. Geen rieten hoedje. Geen elegante wandelstok. Geen spiegelend lorgnet. Geen ijdele blik. Eigenlijk geen zweempje Eline Vere, met haar ruisende rokken zwierend over het mooiste plein van de wereld. Meer deurwaarder dan dichter. Alsof Couperus spit heeft.

Ik hou meer van het beeld van Flaneur aan de overkant, van de elegante kroniekschrijver in brons die, met een bries frisse wind onder zijn overjas, omhoogkijkt naar het strijklicht en zijn hoedje afneemt voor de bloeiende kastanjes. Er staat een joyeuze tekst onder van de columnist die achter Flaneur schuilging, van mr. Eduard Elias van *Het Vaderland*: 'Ik zie rond... en glimlach.'

Ik heb hem jaren geleden vluchtig ontmoet, op een zondagmorgen op de boekenmarkt voor De Posthoorn. Hij had een boekje van Simon Carmiggelt gevonden, dat *Honderd dwaasheden* heette. Hij was er zo verguld mee, dat hij het mij liet zien. Honderd cursiefjes van zijn beroemde voorganger. Ik weet het weer. Ik bloosde toen hij me een hand gaf. Ik heb snel de benen genomen. Dat zou vandaag echt niet meer gaan, dat is voorbij.

Maar goed, wie op mijn leeftijd niet iets onder de leden heeft, wie nergens pijn heeft, die is dood, zeg ik altijd maar. Het is mijn geruststelling. Ik heb nog redelijk goede ogen en een leesbril. En ik heb mijn rollator. Mijn vriend de rollator, zeg ik altijd. Want zonder hem heeft het leven weinig zin. Hij is mijn laatste steun en toeverlaat. Hij laat mij nooit in de steek. Hij is mijn houvast. Zonder hem zou ik nergens meer komen.

Ik merkte laatst dat ik tegen hem begin te praten. Heel

zachtjes natuurlijk, want anders verklaren ze je voor gek.

Dat zullen ze toch wel doen als ze mij achter mijn vriend de rollator vanaf de Plaats bijna dagelijks voorzichtig zien oversteken en me langs de Vijverberg en het Binnenhof mompelend mijn route zien afronden tot aan het witte stadhuis even verderop. Hoewel, bijna niemand houdt zijn mond, sinds de mobieltjes. Iedereen loopt tegen niemand te praten. Niemand mijmert nog gewoon voor zich uit.

In de bibliotheek voor het stadhuis gaan de deuren vanzelf voor mij open. Met een ouderwetse vriendelijkheid. Er is altijd een man of vrouw die je helpt. Daar lever ik bij de aardige jongens en meisjes van de eerste balie mijn geleende boeken in en weet ik mijn weg te vinden naar de krantentafels van mijn tweede leven. Sinds ik niet meer werk, botvier ik daar mijn kleine begeerte. Dat is de beste omschrijving van mijn onderdrukte gemis. Bot vangen is botvieren geworden. Niet lachen, ik was nooit zo goed in woordspelingen.

Gisteren dacht ik dat de leesetalage van de bibliotheek aan het Spui misschien wel de mooiste kijk is op de wereld in de stad. Ik loop er langs en iedere keer ontroert me de aanblik van mensen achter hun kranten. In een halve cirkel van draaistoelen met hoge leuningen. Verdiept in het dagelijkse nieuws, naar buiten starend, peinzend en turend en soms in de aangename stoelen even prettig ingedut, al heb ik begrepen dat een tukje eigenlijk niet mag.

Maar wie daarop let is een kniesoor. Het gaat hier om een levende galerij uit alle windstreken. Het is een pleisterplaats, waar mensen die van ver naar hier zijn gekomen een gedrukt lijntje vasthouden met hun land van herkomst. Ze voelen zich veilig, dat zie je. Ze voelen zich onbespied. Achter kranten uit Turkije en India, uit Polen en Somalië, uit Marokko, Engeland en Frankrijk. En wij al tijden achter *de Volkskrant* en NRC *Handelsblad* en de *Haagsche Courant*, die tegenwoordig in het *Algemeen Dagblad* verstopt zit. Zelf lees ik de laatste tijd ook weleens *Den Haag Centraal*. Om de verhalen over mensen van dichtbij, uit de stad.

Ik dacht: Wat een geluk is het dat al die kranten met al die meningen en commentaren iedere dag naast elkaar gelezen kunnen worden, dat alle gedachten vrij zijn en niemand de ander daarin stoort en een verbiedende vinger opheft naar zijn buurman.

Ik bedacht hoeveel goden hier iedere dag weer in die lezende hoofden neerstrijken, zonder elkaar in de weg te zitten.

Ik dacht: Waarom slaan er heren even verderop in mijn Tweede Kamer zo wild om zich heen, alsof Mohammed onze Jezus uit de polder de Noordzee injaagt. Terwijl in de bibliotheek alle geloven ongestoord naast elkaar zitten en alle goden van de wereld bij elkaar staan en alle boeken voor iedereen te leen zijn en nergens een slot op zit en nergens bladzijden uitgescheurd worden. Niets is hier verboden.

Daarom, en dat vond ik wel een opwekkende gedachte, is de openbare bibliotheek vandaag misschien meer dan het parlement een vrijplaats van het vrije woord. Daar zou ik vroeger niet opgekomen zijn. Maar ik haal wat in.

Ik zit zelf graag in de etalage van de bibliotheek, op mijn eigen plek, en lees kranten en weekbladen en verzamel uitspraken van mensen die iets te zeggen hebben, die mij raken, niet alleen mijn hoofd maar ook mijn hart. Ik oefen me in lezen en teruglezen en schiften en selecteren. Ik heb het geluk van een stenograaf. Ik schrijf snel en precies op wat ik de moeite waard vind. Ik merk dat mijn hoofd er fris van blijft en mijn geheugen aardig lenig.

Alsof er met een kleine ragebol spinrag wordt weggehaald, tot in de kleinste hoekjes en gaatjes. Ik ben soms haast als een kind zo blij als ik iets naar mijn zin ontdek. Je vergeet dat gevoel van je bonkende hartje en de binnenpretjes en alles aan iedereen willen vertellen.

Ik loop er niet mee te koop. Dat gaat niet. Dat doe ik niet. Dat heb ik nooit gedaan. Maar prettig is het wel. Wat blos krijgen in het oude rimpelveld. En het is goed tegen ergernis.

Ik hoor niet bij de mopperpotten en zeurpieten die over alles en iedereen wat te piepen hebben. En die voor alles bang zijn en ontevreden zijn en zich tekortgedaan voelen. Als iemand begint met: 'vroeger was alles beter...' ben ik weg.

Of met: 'Ik ben bang dat...'

Of het ergste: 'Zie je nou wel.'

Ze weten niets en roepen: 'Ik wíst het, ik wíst het.' Ze herhalen hetzelfde. Ze verspreiden de geur van ergernis. Ik kan er niet tegen. Het is jammer dat ik het talent niet heb om hen met argumenten en kennis om de oren te slaan.

Het zou mooi zijn wanneer we zouden leren begrijpen waarom mensen van elkaar verschillen, waarom we niet allemaal hetzelfde zijn.

Anders betekent niet meteen gevaarlijk.

Zondagmorgen nog was het weer zover op mijn tussenstop onder Johan van Oldebarnevelt, onder de bomen van de Lange Vijverberg. Ik zit daar graag met mijn rollator. De oude raadspensionaris heeft zijn hoofd er al lang weer bij. Soms hebben we een gesprek met z'n drieën: Johan, de rollator en ik. Dan bespreken we de wereld. Als kind rende ik hier over de kermis en nu is het kermis aan de overkant, zei ik laatst tegen hem.

Ik geniet daar vooral als de krokussen in bloei staan, hele velden tot aan het Voorhout.

Afgelopen zondag zit ik daar dus te genieten van de zwanen op de Hofvijver, komt er weer zo'n Haagse zeurpiet naast me zitten en begint onmiddellijk te mopperen op al die buitenlanders die de stad onveilig maken.

'U moet er voor uitkijken, mevrouw, ze pikken alles van ons in.'

'Hoezo meneer, moet ik uitkijken voor al die buitenlanders? Kent u er dan een? Drinken ze soms uit uw kopje thee in Des Indes?'

Hij droop meteen af. Met zijn staart tussen zijn groene jagersjas.

Het komt door een steeds groter gemis aan vertrouwen en vanzelfsprekendheid en respect dat ik er zo gevoelig voor ben. Overgevoelig. Dat ik mij verzet tegen het gebakkelei van zeurkousen. Mijn ergernis geldt niet de vooruitgang en de niet meer bij te benen verandering. Ik kijk er met stijgende verbazing naar. Maar ik hou het achter mijn rollator allemaal niet meer bij. Iedere dag is de toekomst alweer verleden tijd en dat gaat me te snel.

Mijn laatste snelweg is een ommetje.

Ik ben een digibeet, hoorde ik laatst iemand opmerken. Dat ben ik ook. Ik kan zonder computer. En ik ben zuinig met televisie. Ongehoord veel is niet aan mij besteed. Ongehoord grof ook niet. Ik heb er geen oren naar. Het geheim van twitteren ontgaat me ook. Ik dacht even dat men twinkelen bedoelde. Ik schrijf met de hand en dat gaat al trager. Maar het is nog steeds mijn eigen handschrift.

Ik mag dan een oude vrouw zijn, die zich iedere dag een beetje wil optutten terwijl dat eigenlijk niet meer kan, die erbij loopt als een kalkoen die nog een beetje pauw wil wezen, of ten minste een oude Haagse ooievaar, dat kan allemaal best, maar hier in mijn hoofd, onder mijn grijze permanent, heb ik alles nog op een rijtje. En ik heb mijn liberale hart op de enige juiste plaats zitten en dat is sinds de eerste dag van de schepping onveranderd.

Ik praat er niet veel over tegen het handje dierbaren om mij heen. Dat heb ik nooit gedaan. Maar dat wil niet zeggen dat mijn hoofd alleen maar beleefd jaknikt. Geen sprake van. Ik gebruik wat er over is van mijn gezonde verstand. En dat zanikt niet.

Ik heb zolang het nog kan veel in te halen en bij te benen en uit te pluizen. Nieuwsgierigheid beheersen is niet eenvoudig. Gelukkig heb ik de discipline van een pennenlikker. Anders zou ik bedolven raken onder mijn kleine hebzucht van alles willen weten, maar ook iets te zeggen willen hebben.

Daarom verzamel ik in de bibliotheek wat uitspraken van de dag. Met een blocnote op schoot aan de krantentafel, naast mijn leenboeken. Om te lezen wat mensen te zeggen hebben. Nonsens en gezwets sla ik over. Wat rest is niet alleen mijn tweede houvast, maar een reden van bestaan. Het klinkt misschien wat zwaar, maar het houdt me mooi op de been. Dat de wereld of beter míjn wereld (want ik moet voorzichtig zijn) aan het kantelen is, dat ziet iedereen. Snuffelen en kwispelen is grommen en bijten geworden. Daar helpt geen Onze-Lieve-Heer meer aan.

Wat ik gisteren heb genoteerd is niet veel. Maar wel bijzonder. Tussen de kranten viel het me meteen op. Een foto met daaronder een gedicht. Dat zie je niet zo vaak meer. Ik mis nog steeds de echte Haagse kranten. We waren een stad van kranten. Er waren er wel drie of vier. Mijn vader las de *Haagsche Courant*. En je had Het Binnenhof, voor de katholieken, zei mijn vader, en Het Vaderland, voor de meneren. Ze lagen altijd boven op de stapel van de voorzitter van de Tweede Kamer. Ik hoor mijn laatste voorzitter, Wim Deetman, nog tussen twee vergaderingen door achter de *Haagsche Courant* zachtjes mopperen en af en toe grinniken. Dat ook.

Vanmorgen in bed las ik nog even na wat me gisteren is opgevallen. Een enkele zin viel me op in het verhaal van een jongen die er op school van droomde dichter te worden en sindsdien weet: In essentie is alles poëzie. En daarnaast maakten niet toevallig het gedicht en de foto mijn dag van gisteren goed. Een foto van de dichter Leo Vroman naast zijn vrouw Tineke. Ze hebben allebei een hoedje op. Ze zien er gelukkig uit. Hij is 95 jaar en schrijft nog bijna iedere dag. Op wie lijkt hij toch? dacht ik. Ik ken hem ergens van. Ik wist het weer. De oude man die in de bibliotheek ook af en toe kranten leest. Hij heeft dezelfde neus en net zulke pretoogjes. Hij draagt eeuwig een lange rode jas en het enige verschil is de lange grijze paardenstaart die op zijn rug deint. En hij neuriet altijd liedjes voor zich uit, heel zachtjes, alsof niemand het mag horen.

De foto van de vrolijke dichter en zijn Tineke ontroerde me, omdat het leek op een weerzien met twee oude bekenden. Hoelang is het geleden dat ik dit gedicht onder ogen kreeg, zonder de dichter nog te kennen? Honderd jaar lijkt het wel. Ik las het toen misschien ook wel in een krant. Niet lang na de oorlog, denk ik. Ik was het haast vergeten. Het heet 'Voor wie dit leest'.

Ik heb het gedicht weer overgeschreven. Niet in steno, daar is het gedicht niet naar. Maar woord voor woord, in mijn eigen handschrift. Het gedicht is kwetsbaar mooi. Het komt weer woord voor woord naar boven, van ergens achter in mijn geheugen. Zoals je soms glimlachend wakker wordt. Nooit heb ik het zo gelezen, nooit achter zijn woorden de dichter voor me gezien, bijna tastbaar, alsof de regels voor mij geschreven zijn.

> Gedrukte letters laat ik U hier kijken,
> maar met mijn warme mond kan ik niet spreken,
> mijn hete hand uit dit papier niet steken;
> wat kan ik doen? Ik kan U niet bereiken.

Er was niemand die gisteren in het voorbijgaan hoorde wat de mevrouw zachtjes in zichzelf zei, achter een krant in het glazen hart van Den Haag.

'Mag ik even, rollator? Luister maar, ik buig me wel

naar je toe, het zijn maar een paar regels, het hele gedicht
hoor je straks wel.'

> Lees dit dan als een lang verwachte brief,
> en wees gerust, en vrees niet de gedachte
> dat U door deze woorden werd gekust:
> Ik heb je zo lief.

En er was niemand die zag wat ze dacht: Toen moe was
gestorven, heb ik voor het raam in de Molenstraat onder
de sluier van de vitrage zachtjes zitten huilen. Ik weet het
nog. Ik wist niet eens meer waarom. Hoe oud was ik ook
helemaal? Nu zit ik opnieuw in mezelf te huilen achter
een raam, onder een sluier van grijze haren. En weer zonder dat iemand het ziet. Alleen weet ik nu waarom ik huil.

De velden van Benedictus

Het was zondagmorgen en eerste sneeuw had de levenloze fietsen op de hoek van de Molenstraat met een deken toegedekt, zoals zijn moeder hem vroeger in bed extra diep onderstopte als hij bang was in het donker. Hij dacht: Al jaren lopen we eraan voorbij zonder te zien hoe treurig de fietsen achteloos verlaten tegen elkaar aan liggen. Hij zag dat de sneeuw ze had opgemonterd, alsof het gemis weg was, alsof ze zich aan elkaar vasthielden, met de sturen om elkaar heen als laatste omhelzing. Alsof een hand van de Grote Fietsenmaker ze ongemerkt in de plooi had gestreken.

Ooit, niet eens zo lang geleden, heeft er iemand op gezeten, dacht hij, misschien wel even zonder handen roetsjend tussen het bloeiende fluitenkruid de Scheveningseweg af naar het hart van de stad.

Hij stond voor het raam van zijn slaapkamer en hij keek naar niets. In alle leegte was zij overal om hem heen. Hij kon er niet aan wennen. Hij riep haar, uit gewoonte, iedere avond als hij thuiskwam. En dan schrok hij van zijn echo op de smalle houten trap naar boven.

Hij voelde zich gevangen in argwaan en wantrouwen, in achterdocht en onbegrip, in plaats van verdriet te hebben en heimwee en huilbuien van gemis. Het spookte maar door, ieder uur van de afgelopen twee maanden. Ruim acht weken al. Iedere dag en iedere nacht alleen en achtergelaten.

Hou daar toch eens mee op, man, mompelde hij in zichzelf, laat het los. Het koude raam besloeg van zijn adem. Vroeger, heel vroeger zou hij er een hart in hebben getekend. Met zijn rechterwijsvinger. Met een pijl erdoorheen en snel twee initialen, voordat het waas verdwenen was.

Hij stond in zijn pyjamabroek, die een beetje was afgezakt en keek naar zijn buik en naar zijn slippers. Je moet nodig je nagels knippen, jongen. Hij hoorde het haar zeggen. Hij keek even om, alsof ze er weer was. Zou dat het zijn? Willemijn bij me houden, bij me blijven verzinnen. De dagen door. Over de jaren heen. Met wagentje. Zonder wagentje. Weer achttien. Weer verliefd. Gewoon blijven wandelen door de velden van Benedictus? Gewoon verder.

Als je er binnenloopt, aan het eind van de smalle weg langs beuken, kastanjes en berken, is het alsof je het leven achter je van je afschudt. Het is er zo stil en ongerept, zo zonder een spoor van mensen, dat je eigenlijk zou moeten omdraaien, terug zou moeten gaan, de stilte niet verstoren, omdat het daarna misschien nooit meer hetzelfde zal zijn, aangetast zal raken, hoe licht ook, door voetstappen.

De velden van Benedictus liggen niet eens zo ver van het kleine dorp Oldeberkoop, aan de rand van het Drents-Friese Wold. Bijna niemand komt er, want er woont geen mens en de Friezen van het dorp zijn geen wandelaars, althans, je ziet hen er nooit, maar misschien zijn ze er gewoon niet op de uren dat ik er ben, dat wij er zijn, met verbazing en bijna ongeloof over het ongerepte. Alsof we onze schoenen uit zouden moeten doen en op sokken verder moeten, op onze tenen, over de zachtheid van alle jaargetijden heen, over dekbedden van bladeren die de herfst hier heeft neergelegd, in mooie waaivormen.

De laatste middag dat ik er met Willemijn was, precies drie weken voordat zij stierf, heeft zij mij voor het eerst over haar andere leven verteld, niet een dubbelleven, maar een tweede leven. Op een ander spoor. Onzichtbaar voor iedereen, ook voor mij.

Het was de eerste dag van november, nog met de mildheid van de nazomer. Ze zat al in haar elektrische wagentje, dat met een simpele handbeweging vooruitbewoog, zodat ik naast haar kon lopen en haar niet hoefde te duwen. We konden samen zachtjes praten en als altijd om ons heen kijken.

Ze was mager geworden. Alles wat ze aanhad was haar te groot. Ze moest er om lachen hoe haar smalle handen verdronken in de mouwen van haar regenjack en haar rode muts bijna over haar gezicht heen zakte. Tot op haar wangen, die niet meer konden blozen, nooit meer. En waarin de kuiltjes die haar jeugd vasthielden zo goed als verdwenen waren. Alleen haar grote ogen, groen en blauw als een veldmeer, als een weidezee, alleen haar ogen hadden hun kracht behouden. En haar glimlach.

Zij was er zonder haperen over begonnen. De eerste zin die ze zei, bijna hardop, alsof iedereen het mocht horen, zal ik niet gauw vergeten.

Ze zei: 'Ik ben niet alleen van jou.' En ze keek of ik schrok. En dat deed ik. Ik vroeg niet eens: wat zeg je? Ik bleef staan en viel stil, als de natuur om ons heen. Ze glimlachte, en het voelde alsof ze een eerste vleug van huiver tussen mijn schouders wegblies.

Ze zei: 'Toen ik ziek werd, toen de multiple sclerose mijn lichaam begon te verlammen, toen heb ik mijn verbeelding een plaats gegeven, hier in mijn hoofd, als kracht, als troost.' En ze wees op het hart van haar rode muts. 'Het is vorig jaar begonnen, ik weet niet eens meer precies hoe. Op een nacht lag ik wakker zoals zo vaak. De slapeloosheid was al lang geen hinder meer. Ik kon in die uren mijn gedachten ordenen. Ik kon herinneringen opzoeken en schoonwassen. Ik kon de dag opnieuw laten passeren. Ik kon een boek schrijven, een roman, als ik wilde, ik kon geluk verzinnen, ik kon – zoals het kind dat ik vroeger was – een eigen bakkerij beginnen, met altijd de geur van vers brood.

Ik zette de tijd naar mijn hand. Ik haalde de afstand eruit. Ik raakte bevriend met jouw moeder toen ze op de middelbare school zat, voor de oorlog. We waren meisjes onder elkaar, zonder de afstand van later. We vertrouwden elkaar onze geheimen toe en onze angsten en we hongerden naar kennis en liefde en een betere wereld. We hadden allebei vlechten, jouw moeder en ik. We waren hartsvriendinnen.

Ik heb ervan leren houden, van dat waken, van die momenten van helderheid, van een leven kunnen ophalen dat er niet was. Ik weet nog dat ik er op een gegeven ogenblik naar begon uit te zien. Dat ik me kon verheugen op de nacht, alleen in ons grote bed. Jij sliep in de logeerkamer, altijd met de deur halfopen en zonder veel geluid. Alles raakte ik kwijt, maar niet mijn herinneringen, niet mijn geheugen en zeker niet mijn verbeelding. Ik begon – hoe moet ik dat zeggen? – aan een andere wereld te bouwen.

Ik leerde andere mensen kennen, met andere levens en andere achtergronden. Ze kwamen gewoon mijn hoofd binnenlopen, ik kon ze een stem geven en een gezicht en een leeftijd.

Ik heb bij een blonde jongen achter op de fiets gezeten, in een zomerjurk en met mijn handen om zijn middel. Hij kwam me bekend voor, hij lachte alleen maar. Zelfs de gulzige zomerwind van ooit was er. Dat kende ik niet meer. Het voelde als een enorme vrijheid.'

Zo ging ze door, met een enthousiasme dat ik niet meer van haar kende, dat met de seizoenen uit haar aard verdwenen was, weggevallen. Ze haalde niet eens diep adem, stopte niet, nam geen pauze om mij voor te bereiden, maar ging gewoon verder, alsof het de normaalste zaak van de wereld was.

'Zo ben ik tussen slapen en waken verliefd geworden en getrouwd en heb ik inmiddels twee kinderen. Twee jongens, een tweeling, de een heet Tim en de ander Tom. Ik heb ze met vreugde onder mijn hart gedragen, negen maanden lang. Het was een lange, pijnlijke bevalling, maar die was ik al vergeten zodra ze voor het eerst in mijn armen lagen. Wat was ik gelukkig.

In alles kon ik de tijd naar mijn hand zetten. Het ging niet om dagen of uren, niet om voorbijgaan en oponthoud. Er was geen wachten of rennen. Verlies van tijd bestond niet. Gek hè? Mooi hè? De tijd plooide zich om me heen. Je had erbij moeten zijn.'

Willemijn keek al pratend naar me op en zette haar wagentje stil bij de bank waarop we altijd de verte in tuurden

over het oude landschap, met akkers en weideland en vogels, omzoomd door lucht en bomen.

'Erbij moeten zijn?' fluisterde ik alleen maar, en ik
merkte dat haar verhaal me niet beviel, dat ik het niet
wilde horen. Maar ze trok zich er niets van aan. Ze legde
als vanouds haar arm over mijn schouder en haar hoofd
schuin tegen me aan. Ze keek van onder haar muts bijna
schalks naar me op en vervolgde haar verhaal, tegen mijn
zin, dat zag ze heus wel.

'Het was me gelukt. Het was me overkomen. En nog wel
twee tegelijk. Moet je je voorstellen, ik in een kraambed,
met bloemen om me heen en een nieuwe schoonfamilie
die me kwam omhelzen en me met cadeautjes overlaadde.
En mijn man, die erbij was geweest en die ik zo hard in
zijn arm had geknepen dat hij grote blauwe plekken had,
die hij opgewekt aan iedereen liet zien.'

'Blauwe plekken?' riep ik veel te hard voor de roerlo-
ze omgeving en ik schrok van mijn eigen stem. Wat was
dit voor een verhaal? En waarom nu plotseling, terwijl
we samen het verdriet probeerden te delen in de laatste
dagen van haar leven, terwijl we het haast niet meer aan-
konden? Hoewel, ik kon het niet aan. Ik zwabberde door
de dagen, zocht houvast bij haar in plaats van dat zij mij
aanklampte. Zij moest nog zestig worden en ik was de zestig al gepasseerd. Ik was zo gezond als een vis en tobde
dan ook vooral over mezelf, dat ik er straks alleen voor
stond, als ze er niet meer zou zijn, hoe het moest met het
eten, de rekeningen, het huis, zelf het bed opmaken. Het
waren banaliteiten die ik maar niet kwijtraakte, die zich
bleven opstapelen in mijn hoofd, terwijl zij het leven voelde wegebben. 'Het begint me te ontglippen,' zei ze alleen
maar, zonder enige angst, eerder als troost leek het wel.

'Het begint me nu toch echt te ontglippen.'

'Hij had mooie handen. Ik viel op zijn handen. Ze waren sterk en zacht tegelijk. Ze waren goed in aaien, of meer nog in strelen. Ze waren goed in aanraken. Niet overdadig, maar met mate. Alsof hij wist dat hij het strelen niet moest overdrijven, dat hij het moest doseren en spreiden over mijn beperkte tijd. Toen hij de twee jongens heel voorzichtig voor het eerst in mijn armen legde, streelde hij met de rug van zijn rechterhand weer kleur op mijn wangen. Alsof ik het in ons bed voelde, alsof de blos mijn kussen aanraakte en verwarmde. Wonderlijk mooi toch, vind je niet?'

'Dat mag je wel zeggen, dat mag je wel zeggen,' zei ik en ik schoof van haar weg naar het puntje van de bank, om lucht te krijgen. En ik riep dingen als: 'Had hij ook een naam?' En: 'Hoe kwamen jullie aan een tweeling, kon dat zomaar, deden jullie het dan?'

Ze glimlachte om mijn verwarring, draaide haar wagentje naar me toe en vervolgde: 'Natuurlijk heeft hij een naam. Hij heet Jan, meer niet. Hij is een kop groter dan jij. Hij is bijna kaal, draagt contactlenzen, houdt van lezen en lekker eten en vecht tegen het buikje dat zijn zomerbroeken in de weg zit. Ik ben op slag verliefd op hem geworden toen ik hem tegenkwam. Hij bestelde een kip bij de slager in de Prinsestraat en vroeg of het wel echt een scharreltje was, en waar ze dan gescharreld had en met wie. Ik moest zo vreselijk lachen dat hij zich naar me omdraaide en me vroeg: "Hebt u de kip dan ontmoet, weet u meer van haar, kent u haar scharreladres?" We liepen samen de winkel uit, hij met zijn kip en ik met mijn biefstukjes. Toen is het begonnen.'

Wat is er in hemelsnaam begonnen, wat dan?

'Hij was er gewoon, hij ging niet meer weg. Hij vroeg hoe ik heette. Waar ik woonde. Hij belde me op. Hij vroeg me mee uit eten. Hij kwam bij me thuis. Hij bracht bloemen mee, zonnebloemen. Hij had zich erachter verstopt. Hij kwam bij me slapen. De eerste keer was het heel onwennig, vooral omdat ik telkens in de lach schoot. Om wat hij deed, om hoe hij zich gedroeg. Toen hij zijn broek uitdeed, viel hij zowat om. En hij bleef maar met zijn handen voor zijn dinges staan, toen hij in zijn blootje stond, zoals meisjes dat doen. Ik lag te proesten onder mijn dekbed, tot hij naast me kroop, tegen me aan kroop, op me kroop, bij me naar binnenkroop. Het ging vanzelf. Niets hield ons tegen. Hij maakte nauwelijks lawaai. Het was voor mij, hij deed het voor mij. Het was zacht vuurwerk. Hij is aardig.'

Mijn gesputter, mijn afweer, het hielp niet. Ze glimlachte met tranen in haar ogen. Ze legde zoals vroeger haar hand op mijn mond. Ze wilde het met me delen, zei ze. Ik hoefde nergens bang voor te zijn. Het ging niet om mij. Ik was er al vanaf haar zestiende, ik was er bijna haar hele leven. Niemand was zoals ik. Niemand kende haar zo goed als ik. Niemand was zo dichtbij en vertrouwd.

Ze wilde, zei ze, dat ik het wist, dat ik het bij me zou houden, als zij er niet meer zou zijn. Dat zei ze, dat vroeg ze aan me. Ik moest eraan geloven, ik moest verder luisteren, ik kon niet weglopen en haar achterlaten met haar verhaal.

Ze had me, moet ik bekennen, ergens achter al mijn tegensputteren, mijn ongeloof, ook nieuwsgierig gemaakt, maar dat wilde ik niet weten, dat hield ik tegen. Ze vertelde alles ook zo rustig, alsof het de gewoonste zaak van de wereld was. Ze draaide er niet omheen.

Ze was als altijd openhartig en dat hield, zo merkte ik, het oprispen van het zuur van jaloezie tegen, van opkomende tegenzin, van ergernis en wrevel, van weerzin bijna.

Ik hield mijn mond. Ik kon ook bijna niets zeggen, want mijn hart zat ertussen, het bonkte in mijn keel. Ik drukte mijn handen tegen mijn borst om het stil te krijgen. Ik zat er verstard bij – als een Haagse zoutpilaar – en zij vertelde maar verder, in vlagen, met zachte stem, en soms leek het alsof ze aan de buitenkant van haar eigen verhaal ging staan en op afstand met mij probeerde te delen wat haar was overkomen. Ik moest er vooral niet over inzitten. In tegendeel.

'Je mag het van me hebben,' zei ze, 'je krijgt het mee als ik er niet meer ben. Het beweegt zich dan misschien nog een tijdje voort in je gedachten. Dat zou mooi zijn.'

Toen zei ze: 'Laat de achterdocht erbuiten, jongen. Daar gaat het niet om. Het heeft niets met wantrouwen te maken. Ik heb lang in de heldere uren van mijn nachten aan jou liggen denken, aan ons, aan de hele weg terug, ik heb alle herinneringen opgespeurd, met een borsteltje schoongewassen, weer in beeld gebracht. Ik genoot ervan, soms kon ik weer aanraken waarvan ik dacht dat het voorgoed voorbij was.

Ik heb geprobeerd alsnog een kind met jou te bedenken, om in de nacht te hebben wat er overdag niet was. Je begrijpt dat het niet ging, dat mijn verbeelding daarin tekort moest schieten, ook omdat de werkelijkheid toen nog naast me lag, slapend in bed, met zijn rug naar me toe en met zijn gezicht van me af. Omdat je sliep en het halfvier 's nachts was, en dat was toen nog een eenzaam uur voor mij, alleen met de huiver van mijn zieke lichaam.'

Ze keek me aan en haalde haar smalle schouders op. 'Zo is het nu eenmaal,' zei ze. En ik, ik kon geen woord uitbrengen, woelde met mijn linkerschoen de bladeren om en probeerde ze met mijn rechterschoen weer op hun plaats te vegen. Maar dat lukte niet. De wanorde was er al.

Er viel een stilte tussen ons, die ik niet kende, die zonder lucht leek. Althans voor mij, niet voor haar, niet voor Willemijn. Zij nam alleen maar een korte pauze, want ze wilde door met haar verhaal.

'Jan weet er niets van. Jan kent jou niet. Jan is niet gelovig, maar in alles wat hij zegt, wat hij doet en hoe hij met mensen omgaat, zou je zweren dat hij geen breuken in zijn leven heeft. Hij zit ongehinderd in zijn eigen tijd, heeft geen haast, wil niet nog van alles, kijkt niet om in wrok. Wrok kent hij niet. Ik ben daar niet jaloers op, voel eerder de neiging me voorgoed in zijn verhaal te nestelen, als een verdwaalde watervogel die een vergeten deining op de rivier terugvindt.

Jan is er, iedere nacht opnieuw. Hij wandelt mijn gedachten binnen, hij speelt op zijn hurken met de jongens, hij knuffelt ze en kraait hun eerste woorden mee. Het is van mij, begrijp je dat? Ik kan er rustig mee doodgaan, net als met jou. Het is niet erg dat het afgelopen is, want het gaat nooit meer voorbij.'

En toen trok ze zich naar me toe, met haar ogen en haar stem en ze streelde mijn weerzin en mijn afkeer en mijn onbegrip van me af. Er was geen ander woord voor dan strelen, wegstrelen. Ze zette mij naast haar gedroomde Jan. Ze zei: 'Jij bent hier, Hendrik, jij bent de velden van

Benedictus. Jij bent hier en overal, al een leven lang. Jij bent waar wij zijn, wie wij zijn, waarom wij er zijn. Jij bent onze tranen bij Bach en zijn cantates. Zonder onze liefde zijn we niets, die hebben we kunnen vasthouden en koesteren. Dat slijt niet als ik weg ben, dat helpt je verder, straks, later.'

Het ging met horten en stoten, zei ze, maar het ging tussen ons, het liep, we hielden het vol. 'En jij bént iemand, Hendrik. Leraar, politicus, raadsman van iedereen. Straatvechter als het moet, als het gaat om de dingen waarin je heilig gelooft.

Jij redt het, jongen,' zei ze, 'jij redt het wel.'

Ik hoorde haar zeggen dat ze uiteindelijk haar weg had gevonden, in de binnenwereld van haar eigen gelukkige schoolklas, op vleugels soms, en ze zei wat een vreugde het was geweest, met al die kinderen om haar heen.

Tot het niet meer ging, tot ze ziek werd en te moe was om verder te gaan.

'Eenzaamheid is er altijd, dat weet je,' zei ze. 'Daar kom je niet onder uit. We hebben jouw armen en mijn armen en het geluk van het aanvaardbare, te verteren verdriet,' zei ze. Ze hoefde niet naar woorden te zoeken.

'En dit,' zei ze, 'dit heb ik erbij, dit is van mij, dit ook. Als een strohalm, zou je moeder zeggen, als een strohalm. Het is mijn troost. De laatste. Ik ben blij dat ik het je heb kunnen vertellen. Nu weet je het. Wees er niet verdrietig om, wees maar niet jaloers, dat hoeft niet.'

Vroeger zou ik het irritant en hoogdravend hebben gevonden wat ze allemaal tegen me zei. Maar die twee woorden waren in geen velden meer te bekennen.

'Het hoeft niet, jongen,' zei ze.

Ze hield haar adem in. En toen ademde ze heel diep in. Ze zoog alles in zich op. Zoveel ze nog kon. Alles om haar heen ademde ze naar binnen. De velden. De dauw. De bomen. De vogels. De wolken. De aarde. De hemel. Het licht.

En de rest.

Dochter aan zee

Deze plek op het stille strand is mijn middelpunt van de wereld.

Als je met me mee achteromkijkt, zie je hier tussen het helmgras door een rul zandpad steil naar boven lopen, de duinen op. En als je met me mee naar boven klimt, zie je in de verte bij helder weer links de Pier van Scheveningen en rechts, op je tenen, het hooggelegen witte paviljoen van de Wassenaarse Slag.

Meer hoef je niet te weten, want de oude steen waarop ik zit is zomaar een steen. Ik leen hem van de natuur. Hij is hier ooit zwervend met de getijden aangespoeld en blijven liggen en wie weet is hij ooit hoofdkussen geweest van een andere tijd, toen de goden dichterbij waren en de mensen erop insliepen.

De steen wordt over het hoofd gezien. Tenminste, zolang ik hier kom. Niemand kent mijn terloopse baken, mijn koude morgenster, mijn kleine gemak, mijn denkstation, want een tankstation is het niet, dat past niet, ook al kom ik hier op adem en laad ik mij hier op met frisse lucht en met ruimte en licht en invallen van helderheid. Dat laatste vooral.

De steen ligt voor het grootste deel onder de grond en loopt een beetje schuin af. Op ongeveer dertig centimeter boven het zand zit ik met mijn knieën opgetrokken. Dat heeft het voordeel dat ik op mijn armen kan steunen, en dan komen het kijken en het turen en het staren en het denken vanzelf. Ook naar binnen, langs mijn eigen beperkte horizon.

Ik val je daar verder niet mee lastig, waarom zou ik. Er is buiten, naar het einde van mijn wereld hier, tussen hemel en aarde genoeg te beleven, ook al is het weinig voor wie is afgeleid door zichzelf en met zijn neus op zijn wandelschoenen voorbijkomt. Dat gebeurt niet veel, want op dit uur van de wegwuivende dageraad zijn het de eenlingen die ik meestal al ver voor mijn plek zie omkeren, soms aarzelend of er nog tijd is voor een stap verder, maar meestal resoluut, alsof het om een draaipunt gaat dat van hogerhand is vastgelegd.

Mij vallen voorbijgangers nauwelijks op. Het waren er twee vandaag, denk ik, niet meer. De een snelde voorbij met kuiten van een marathonloper. De ander was een voorovergebogen ruiter in volle galop. Dat blijft niet ongezien.

Ik heb meer oog voor de opwaaiende strandlopertjes, die op de vloedlijn razendsnel met hun snaveltjes uit het natte zand eten oppikken en iedere aanrollende golf vliegensvlug ontwijken in een wolk van vleugeltjes, precies op het moment dat de golf breekt en open schuimt. In een oogwenk.

Verder zijn de meeuwen mijn metgezellen. Ik ken ze niet allemaal van naam, maar ik weet dat er zilvermeeuwen tussen glinsteren en kokmeeuwen krijsend opvliegen en mantelmeeuwen ijdeltuiten lopen te zijn.

Het verbaast me telkens weer hoe schoongewassen ze eruitzien. Alsof Moeder Natuur ze in bad doet. Er mag geen vuiltje aan de lucht zijn. Het gladgestreken donsbed van veren moet ongeschonden wit zijn. En ogen van aquamarijn, met het grijs en blauw van water en wolken. En snavels in geslepen geel, met een toef rood, vers aangetipt door een penseeltje.

Ik heb nog nooit een meeuw zien waggelen. Op hun zwemvliezen lopen ze als dansers en ze kijken de kraaien weg, die hier binnendringen en rondhuppen alsof ze zwarte meeuwen zijn. Vliegende metamorfosen, zoals bij Escher.

Ze horen hier niet, vind ik, ze komen hier niet vandaan. Ze horen in het korenveld.

Af en toe benaderen de meeuwen mij, omzichtig en nieuwsgierig, tot op aaiafstand. Ze vermoeden vast dat ik van steen ben. Ik doe me ook roerloos voor. Totdat ik met mijn ogen knipper of mijn neus ophaal. Niet dat ze opvliegen, maar ze keren om, ze wenden zich van me af. Er is niets te halen. Geen brood en geen genegenheid. Ik heb niets bij me. Ik ben maar een mens.

Het wordt vandaag een mooie zomerdag en het moet nog juni worden. Ik heb mijn trui over mijn schouders gehangen en voel de eerste warmte van de zon, die vanuit het oosten over de duinen heen binnenkomt en zich uitrekt en opgezogen wordt door het morgenlicht en het strand aanraakt en de zee en de schepen die in de verte voor anker liggen en nog slapen.

Ik voel de zon al op mijn knieën, door mijn dunne

broek heen. Ik blijf nog even zitten op Ovidius, want zo heet mijn steen. Mijn kleindochter zou hem Kruimeltje noemen, want ze heeft net in een film het oude verhaal ontdekt en in haar hart gesloten. Samen met het stukgelezen boek uit mijn jeugd.

Zij weet niet dat Kruimeltje een nakomertje van Ovidius is. In het arme schoffie zit een welvarend jochie verborgen. Hij is niet wat hij is. Hij wisselt van gedaante, zoals de lucht hier boven mij dat voortdurend doet. Kijk maar. En de zee. Kruimeltje is een klassieke Rotterdamse metamorfose, in een versleten korte broek.

Iedereen woont erin, in zijn eigen metamorfosen. Het leven wordt ermee ingekleurd, opgepoetst of weggepoetst. Verwondering komt er vandaan en verbeelding. Verwarring en onzekerheid. Voor de gek houden en liegen. Trouw en ontrouw. Je anders en beter voordoen dan je bent.

Openhartig schijnheilig.

En tragisch gelukkig.

Luidruchtig aanwezig en moederziel alleen.

De ontelbare metamorfosen van Ovidius zitten al een half leven in mijn onzichtbare rugzak. Het lijkt veel maar ze wegen nauwelijks iets. Het is taal op vleugels. Het is mijn houvast. Tegen de tijd in. Want wij zijn de eenlingen. Maar we overleven het wel. We sterven niet uit. Ik ben een gelukkige minderheid. Een zee van tijd heb ik niet meer, maar ik kan er hier een eeuwigheid mee vooruit.

Als ik niet oppas, draaf ik door. De roze wolk in mezelf ophemelen. Bijna hardop gaan zitten praten. Opschepper. Je weet toch dat niemand luistert. Voeten in het zand en dicht bij de grond komen de heldere ogenblikken vanzelf.

Zonder afleiding.

Er komen in de verte twee mensen aan. Twee stippen zijn het nog, vanuit Scheveningen. De eerste warmte van de zon en de glinstering van het water ribbelt hun gestalten. De een is veel groter dan de ander. Bijna reus naast dwerg op het eerste vergezicht. Dichterbij wordt het ineens *Panorama Mesdag*, door de zeilboten op de achtergrond en de lange zwarte jurk van een oud vrouwtje dat een beetje kromloopt naast een boom van een jongeman, die ze nauwelijks kan bijhouden. Ze heeft haar scholgrijze haar in een knotje.

Moeder en zoon.

Kniertje en Barend, honderd jaar later.

Haar jongste, die in zee verdronk. Was het Barend?

Alleen de volle plastic tas die aan haar arm bungelt is van vandaag. Kleurloos. Die mist de flair en de melancholie van de schilders van de Haagse School.

Ik klom achter mijn moeder aan de smalle trap op en kon mijn ogen niet geloven. Ik stond op de vuurtoren, op mijn tenen, en zag reikhalzend van verbazing dat het echte strand om mij heen bijna ongemerkt afliep in een geschilderde zee. Er lagen netten en manden en ankers in het zand. En een verdwaalde klomp. En verder weg de drukte op het strand, met al die boten en paarden en vissers en zeilen en mensen en meeuwen en golven en heel veel lucht en heel veel licht. Ik snapte niet hoe het kon.

Net echt.

Het tweetal houdt stil, ongeveer recht voor me. Zij zet de tas neer en steekt haar armen in de lucht. Alsof ze iemand aanroept. Het zal wel voor de man bedoeld zijn. Die kijkt schichtig om zich heen. Alsof hij wordt achtervolgd of bespied.

Omdat het strand flauw naar beneden loopt, zien ze mij kennelijk over het hoofd. Ik zit onzichtbaar op Ovidius en kijk.

De man bukt zich en doet zijn schoenen en sokken uit. Dan trekt hij zijn overhemd uit, daarna onhandig zijn hemd over zijn hoofd en vervolgens laat hij – nadat hij zijn gulp heeft opengemaakt – zijn broek voorzichtig zakken. Eerst de ene pijp en dan wankelend de andere. Hij kleedt zich opvallend rustig uit. In zijn witte onderbroek maakt hij er een keurig stapeltje van, zoals thuis, zo te zien.

De kleine vrouw heeft inmiddels de plastic zak leeggemaakt en wisselt van stapeltje. Ze vouwt een grote handdoek uit en houdt die als een witte vlag om de man heen, om zoveel mogelijk af te dekken wat niemand mag zien.

Ik moet aan Bert Haanstra denken bij dit gefriemel aan zee. De onderbroek van Alleman wordt tussen zijn witte benen weggevist. En dan geeft de Adam uit Scheveningen zich bloot. Zomaar ineens.

Het stille strand wordt naaktstrand en hij verandert in een oogopslag. Hij staat er anders bij. Alsof hij uit zijn schulp kruipt. Uit een schelp oprijst. Zijn ene bovenbeen behendig over het andere, zodat er niets meer te zien is. En zijn arm even in een wankel boogje boven zijn hoofd. Hij draait een rondje. Op zijn tenen. Het ziet er onbeholpen uit. Hij valt bijna. Als een duikelaar.

De kleine vrouw buigt naar de grond en reikt hem een groot badpak aan, een damesbadpak. Hij pakt het aan, bekijkt het even van alle kanten. Dan stapt hij er – leunend op de smalle schouders van zijn moeder – met een been in en vervolgens met het andere. Hij duwt wat hem als man aanwijst zo ver mogelijk tussen zijn dijen en hijst het badpak omhoog over zijn middel heen. Hij houdt het voorstuk tegen zijn borst en bukt zodat zij de bandjes van achteren kan vastmaken. De moeder trekt daarbij de onderkant strak naar beneden, over zijn achterwerk, behendig alsof ze het van zichzelf herinnert, ooit lang geleden, in een donkere paskamer. Ze diept nog iets op uit de plastic tas. Twee rondjes schuimrubber, die hij vliegensvlug in het bovenstuk van het badpak frummelt. Met twee handen schudt hij ze een beetje op tot boezem en bekijkt de borsten alsof ze van hem zijn.

Ik heb al een paar keer mijn ogen neergeslagen, omdat het in al zijn onhandige intimiteit een hulpeloos, ontroerend tafereel is. Een moeder helpt haar zoon om dochter te worden. Ze kent zijn verborgen verlangen. Ze weet wat er in zijn hoofd omgaat en hoelang al. Ze houdt de schijn met hem op, uit liefde. Ze behoedt hem waarschijnlijk al sinds zijn jeugd voor pesten en treiteren. Ze beschermt hem en weet hoe hij de hele week popelend uitkijkt naar dit verpoppen.

Het is haar kind. Ze weet hoe bitter zijn plezier is. Hoe groot zijn huiver. Hoe kort en breekbaar zijn intense vreugde. Iedereen moet het zien en niemand mag het weten. Wat ooit argeloos begon, wordt achternagezeten door achterdocht en onbegrip. Tot op de dag van vandaag. Zeker vandaag, in de steeds harder wordende slagschaduw van uitjouwen en vernederen en buitensluiten.

Hij heeft zich pas geschoren, zo te zien, en poedert uit een aangereikt doosje luchtig zijn wangen met zachte tikjes. En stift zijn lippen zonder spiegeltje. Veegt er met zijn wijsvinger over. Tuit ze even.

Hij gaat op zijn blote knieën zitten en buigt zijn bijna

kale hoofd naar haar toe. Waar ze de pruik vandaan haalt, kan ik niet goed zien. Ze trekt hem behendig over zijn hoofd, zet hem zo recht mogelijk en plooit hem zodat hij tooit. Het haar is kastanjebruin. Het golft. Het staat.

Als hij opstaat, is zij er.

Ze kijkt om zich heen alsof het nooit anders is geweest. Alsof de natuur het zo geschikt heeft. Hoewel de zon het water van de zee glinster geeft, is het geen luchtspiegeling. Bijna nimf, voor wie het niet weet. Zo staat ze daar en bekijkt zichzelf. Vanbinnen al elegant, aan de buitenkant moet het bewegen nog beginnen. Het hoekige rond worden. De stem hoger en bedeesder. Het lopen wiegen. Het gaat haast vanzelf, zo te zien. Het verkleden is weg, samen met het verstoppen.

Zoon is dochter.

Voor wie het niet ziet is er niets te zien. En ik ben van steen. Maar nieuwsgierigheid houdt een mens op de been, nietwaar Ovidius? Op veilige afstand krijg ik meer invallen en associaties. Ik weet het. Maar dichterbij wint dit keer, dus besluit ik haar ongemerkt te volgen. Ze is trouwens niet meer alleen met haar moeder. Er lopen meer mensen. Het strand raakt zijn stilte kwijt. Het uur wordt van iedereen. Ik ben eraan gewend. Zomerdagen aan zee heb je niet voor jezelf. Tot haar genoegen, zie ik, haar plezier. Het is haar publiek, haar voorstelling. Ik slenter er achteraan en voel me een toevallige lotgenoot, een stille getuige. Meer is het niet.

Haar moeder blijft staan met haar plastic tas en rust even uit. En zij loopt richting de zee, naar het kikkerbad om een beetje wadend pootje te baden. Bijna meisjesachtig kijkt ze terloops naar haar bibberende weerspiegeling in het lage water. Haar spiegelbeeld.

Narcissus is even Narcissa.

Niemand kan onder haar pruik in zijn hoofd kijken en weet van de gevangen hemel op aarde. Niemand beseft iets van het bewegen van zijn linkervoet met de plonsjes van haar tenen. En van het plezier van spetteren. En van zijn behoefte op te vallen en bekeken te worden.

Niemand kent de angst voor aandacht.

Ze draait haar hoofd en glimlacht naar haar zwaaiende moeder. Ze loopt terug en droogt haar onderbenen en voeten af met de handdoek, waarmee haar moeder klaarstaat. Ze loert even om zich heen en schudt haar boezem beter in vorm. Ze aait een hond die kwispelend op haar afkomt en om aandacht vraagt en tegen haar opspringt.

Bang is ze niet. Haar moeder wel. Die moet er niets van hebben. Misschien merkt het dier iets. Het meisje van de hond roept hem en zwaait naar haar. Ze wuift terug. De hond twijfelt even en neemt dan de benen, rent uitgelaten terug en wordt vrolijk opgevangen. Blond is ze en jong en ze draagt een grote zonnebril. Ze is ver weg voor hem in haar. Verschrikkelijk, dat verstopte dubbele hart.

De kleine moeder duwt haar vooruit. Kom mee, we moeten verder. Ze lopen door, haastiger, terwijl zij blijft omkijken. Aarzelt. Ik zie de verborgen verwarring.

We zijn de onzichtbare grens van het stille strand gepasseerd. Kinderen wagen zich altijd als eerste in zee. Het water is nog koud voor de tijd van het jaar. Maar de zomer is er en ik zie dat de eerste ligbedden en strandstoelen worden ingelijfd. Het blijft een wonderlijke metamorfose. Iedereen keert zich in de richting van de zon, met de rug naar de zee, omdat het vroeg in de morgen is. En met het uur draait alles en iedereen met de zon mee, verplaatst alles zich. De enige vaste tegenbeweging is de opkomst van de vloed, die het strand versmalt en de eigen plekjes tegen elkaar aanduwt, zodat alles krimpt.

Ovidius kende de geur van zonnebrandcrème niet. Wat zou hij zich naast mij verbazen en vermaken over al die lichamen die zich hier aan Apollo koesteren en hem aanbidden, zich voor hem uitkleden en hun lichaam offeren, hun ziel en zaligheid voor hem uitspreiden, hun ijdelheid spiegelen en hun waardigheid verliezen. Apollo, god en zon van de Noordzee. Ovidius zou er een metamorfose aan wijden, over de radeloze verliefdheid van Apollo op honderden onbereikbare Daphnes die hier als nimfen liggen te lonken, maar niets van hem willen weten. Ook het mooie meisje met de hond niet.

Moeder en dochter zijn bij het eerste strandpaviljoen en lopen langs de zonaanbidders in het rode bos van dichtgeklapte parasols over het smalle plankier naar het volle terras. In de hoek komt een plekje vrij. Nog niet helemaal in de zon. Een jong stel wordt door drie kinderen met emmertjes en schepjes naar de zee getrokken en maakt plaats.

Ze blijven beleefd staan wachten op die plek. Een serveermeisje loopt voor hen uit en opent vriendelijk de kleine rode parasol.

Ze drinken koffie en eten appeltaart met slagroom. Zij zit rechtop mooi te zijn en slaat haar lange benen zo meisjes mogelijk over elkaar. Ze buigt niet haar hoofd naar haar koffie, maar brengt het kopje naar haar mond. Sierlijk bijna, met een wijsvinger omhoog. Zo hapt ze ook met een vorkje van haar appelpunt. Er blijft slagroom achter boven haar mond. Ze krijgt een papieren servetje aangereikt en veegt het weg van haar vaag gestifte lippen.

De zon klimt en de hemel is wolkeloos. Ze zitten samen onder hun rondje schaduw. De kleine oude moeder heeft in haar zwarte jurk meer bekijks dan haar dochter.

Een ongeluk

Hij was die maandagmorgen tijdens zijn ochtend-wandeling opgeschrikt. Op de hoek van de Mau-ritskade, vlak bij de Koninklijke Stallen, werd een meisje aangereden dat voorovergebogen op haar omafiets het rode licht niet had gezien. Hij had remmen gehoord en een zachte plof. Hij zag een kleine rode schoudertas de lucht in vliegen. Als een bal met vlechten.

Hij was niet gaan kijken, daar hield hij niet van. Hij had zich afgekeerd van de opgewonden nieuwsgierigheid die niet alleen hier maar overal op de wereld het gedrag en gedrang van mensen bepaalt, en hun wartaal.

Ze is vast dood, hoorde hij iemand zeggen.

Volgens mij leeft ze niet meer.

Ze verroert zich niet.

Ze haalt het vast niet, het arme kind, het was zo'n nare klap.

Toen hoorde hij de sirene van een aanstormende am-bulance. Hij kende het geluid. Ook hij schrok er niet meer van. Hij wendde zich af van de oploop, maar kreeg tranen in zijn ogen bij de gedachte dat ze daar misschien met veel pijn lag, gebroken, geknakt, weg uit het spontane, ontlui-kende leven, weg van de eerste kleine verlangens die blos op haar wangen brachten. Weg, voorgoed weg, van ieder-een.

Het is de wind, dacht hij, het zijn tranen van de wind. Hij had zich omgedraaid en was met versnelde pas zijn weg teruggelopen, dicht langs de Paleistuin, in de schaduw van de oude kastanjebomen en de sterke lucht van de hofpaarden. Hij had niet meer op of om gekeken. Hij keerde in zichzelf terug, zoals hij gewend was te doen, iedere dag opnieuw, op het ritme van het vroege stadslicht.

Hij had niet eens gemerkt dat een vrouw die hem tegemoetkwam stil bleef staan en hem eerst verbaasd en toen doordringend aankeek, alsof ze hem afpelde op zoek naar herkenning en herinnering.

Ze glimlachte en zei met zachte stem: 'Ik geloof mijn ogen niet. Je moet het zijn. Je bent het toch? Frederik?'

Daar stond ze, recht tegenover hem. Een tengere vrouw met opgestoken grijs haar en grote donkere ogen. Hij wilde doorlopen, wegwezen, met niemand iets te maken hebben. Het ergerde hem gestoord te worden tijdens zijn stille omgang. Maar zij wist zijn naam. Ze wist kennelijk wie hij was. Hij keek haar aan, met een zweem van wantrouwen, alsof hij betrapt was.

Liesje, dacht hij, het kan Liesje zijn. Liesje was verdwenen, toen hij – hoelang geleden was dat? – zestien was. Zestien? Zij was vijftien. Of veertien? Hoelang geleden, zestig jaar, meer nog, meer dan zéstig jaar? God, wat was hij verliefd geweest. Haar vlechten. Haar lange benen. Haar smalle schouders. De kuiltjes die vanzelf tevoorschijn kwamen als ze lachte. En ze lachte veel. Appelwangen had ze. Waarom was ze verdwenen. Waarom was hij er niet bij geweest, toen ze stierf. Hij had gehuild in het donker. Hij had nachten wakker gelegen. Hij had zich geen raad geweten.

Was zíj het?

Dat kan niet. 'Liesje is weg, mevrouw, Liesje is dood.'
Hij stotterde wat voor zich uit. Hij schrok van zichzelf.
Hij mompelde: 'Wilt u mij niet lastig vallen. Wilt u mij de
weg niet versperren, wilt u doorlopen. Ik moet verder. Ik
kan niet wachten. Goedemorgen, mevrouw.' En toen trok
ze aan zijn jas. Ze pakte hem bij zijn schouders en ram-
melde hem door elkaar. Dat deed ze zo hardhandig dat
zijn zwarte hoed, die hem zo dierbaar was, van zijn hoofd
vloog en op de grond viel en van hem wegwaaide.

Haar aardige stem was onaardig geworden. Hard en
bits als ruwe reclame op televisie. Ze viel uit: 'Jij was het
Frederik. Jij hebt het gedaan. Jij hebt me in de steek gelaten, jij hebt me aan mijn lot overgelaten, jij hebt me weggegooid. Jij was weg. Van de ene op de andere dag. Onvindbaar. Ik heb je gezocht en gezocht. Niemand wist waar je
was. Niemand wist meer waar je woonde. Ik heb je zo ont-
zettend verschrikkelijk gemist, Frederik. Waar was je?'

'Weggegooid,' riep ze, 'weggegooid.' Hij viel bijna tegen
haar aan, moest zich aan haar vasthouden, tegen zijn zin,
en was niet in staat iets terug te zeggen. Alsof hij van het
ene op het andere ogenblik met stomheid was geslagen.
Hij kon niets meer zeggen, hij kon geen woord meer bedenken. Zijn mond zat in een klem, samen met zijn hoofd.

Had híj haar niet juist gezocht, was zij niet van de ene
op de andere dag weg, zoek, onvindbaar, opgelost? Had
hij niet overal, overal naar haar gezocht, had híj haar niet
verschrikkelijk gemist, had hij juist niet zoveel verdriet en
pijn gehad?

'Hoor je me Frederik? Luister je Frederik. Kijk me aan,
Frederik.' Ze duwde hem omver en samen vielen ze om,
wankelend, bijna op elkaar, op de brede stoep. Met wapperende handen sloeg ze hem, trok aan zijn grijze haren

en tierde en huilde. En hij probeerde terug te slaan, zich te verdedigen, haar van zich af te duwen, onder haar vandaan te komen.

'Weg, weg,' riep hij, 'ik heb niets met u te maken, dondert u toch op, u doet mij pijn, u bezeert mij, Liesje is nooit oud geworden. Liesje is van mij alleen, Liesje is een geheim. Liesje is verloren. De kleine Elisabeth is dood. Ik word beetgenomen. Ik word bedrogen. Ik moet weg.'

'Waar was je Frederik?' En toen begon ze hem op te tillen, van de koude tegels. Ze vertelde wie hij was geweest, hoe aardig hij was en hoe hoffelijk. Dat hij haar nooit wild had gekust, maar altijd bedremmeld en blozend. Hoe ze samen op zijn eerste fiets naar buiten waren gereden, zij voor op de stang, wist hij dat nog, zij voor op de stang? En dat hij gedichten geschreven had en die in de brievenbus had geduwd, opgerold met een strikje eromheen. Hij hoorde haar verhaal. Het echode in zijn hoofd. Hij wist het weer, het was er weer, ze was er weer. Hoe was het ook alweer? Was het zonder schaamte geweest? Was het zo geweest? Was ze er dan nog?

'Ik ken u niet mevrouw, u hebt de verkeerde voor u, de verkeerde Frederik.'

En toen merkte hij dat hij overeind werd geholpen door de aardige mevrouw die bij hem om de hoek woonde, in de Oude Molstraat. 'Naar wie sloeg u, meneer Kromkamp?' vroeg ze verbouwereerd. 'Tegen wie ging u zo verschrikkelijk tekeer? Om wie huilde u zo erbarmelijk? Dat was toch hoop ik niet tegen mij? Dat moet u niet meer doen, hoor. Ik dacht even dat u dronken was, meneer Kromkamp, dat u niet goed bij uw hoofd was, zo hard begon u mij te stompen en te slaan. Daar zijn we toch veel te oud voor. Een vechtpartij midden op straat, zo vroeg in de morgen. Hebt u zich bezeerd? Gaat het wel?

Kom, ik help u op weg. U moet niet telkens vallen, probeer het nog een keer. Het lukt wel, steun maar even op mijn arm en mijn wandelstok.' Ze hees hem op, zo goed en zo kwaad als het kon. Ze veegde stof van zijn overjas, zoals vrouwen dat bij mannen doen, alsof mannen altijd last van roos hebben. Ze keek hem meewarig aan, schudde haar hoofd en plooide met haar linkerhand de gevallen lok in haar opgestoken grijze haar. Ze zag zijn zwarte hoed niet, die was op de wind hinkelend de straat uit gehold.

Ze liep langzaam en voorzichtig met hem mee tot aan de stoep van zijn huis. Ze zeiden niets meer en het leek of hij verstijfd was, met lood in zijn jas en in zijn gepoetste schoenen. 'Dank u wel, mevrouw,' zei hij. 'Het spijt me. Ik kon er niets aan doen. Ik zag u niet toen ik tegen u aan botste. Er was ook zo veel toeloop op straat. Wat is er eigenlijk gebeurd?'

'Kunt u het wel alleen, meneer Kromkamp?' vroeg ze nog, terwijl ze wegliep en zich omdraaide en nog eens omkeek.

Hij frummelde de sleutel in het slot van de oude deur. Hij maakte de deur voorzichtig open en duwde zichzelf naar binnen. Hij kon de trap van zijn bovenhuis in de Juffrouw Idastraat nauwelijks meer op. Hij riep om zijn dochter. Hij riep om haar, hij riep om hulp. Ze verscheen boven aan de trap, rende struikelend naar beneden en kon hem nog net opvangen, voordat hij ineenzakte, half tegen de houten leuning aan, die al jaren loszat en eindelijk losliet.

Ze sjorde aan zijn overjas om hem overeind te krijgen. Ze probeerde hem op te tillen en in zijn gezicht te kijken. 'Wat is er gebeurd, vader, wat is er aan de hand? Was het weer Liesje, vader? Liesje bestaat niet, hoor je me! Hóór je me? Liesje heeft in jouw leven nooit bestaan. Dat weet je. Daar hebben we het zo vaak over gehad. Elisabeth was het vriendinnetje van jouw vader. Liesje was van opa Johan. Hij was smoorverliefd op het meisje, dat door een ongeluk gestorven is. Zij is door een auto geschept. Opa noemde het zijn noodlot. Er waren er toen maar drie in haar dorp. Drie automobielen, meer niet. Daar heeft hij zijn hele leven verdriet van gehad en dat heeft hij aan jou verteld, daar kwam hij nooit van los. Weet je het nog? Weet je het weer? Het is eeuwen geleden, vader. Eeuwen.'

Hij ademde wel, maar hij reageerde niet. Hij maakte geen enkel geluid. Hij hield de leuning als een gebroken staf in zijn hand geklemd. Ze ging op de onderste tree zitten en legde zijn oude hoofd in haar armen, streelde zijn grijze haar en vroeg hem zachtjes waar zijn hoed was.

En toen, terwijl het milde morgenlicht door de halfopen deur naar binnen viel, als troost, als mededogen, als beschutting, keek hij zijn dochter aan en fluisterde, nauwelijks hoorbaar: 'Ze kon er echt niets aan doen, het arme kind. Ik zag het gebeuren. Liesje fietste met haar hoofd in de wolken.'

Het verdriet van Eline

Niemand mocht het weten, maar iedereen in het Hofkwartier wist het. De weduwe Eline van Nieuwenhuyzen had zoveel verdriet om haar jonggestorven echtgenoot, dat zij al een eeuwigheid haar huis niet meer had verlaten. Die ene keer dat ze met acute hartklachten naar het ziekenhuis moest, had ze zo tegengestribbeld, dat de twee jongens van de eerste hulp haar op een brancard hadden moeten vastbinden.

Later op de intensive care had zij geheel tegen haar opvoeding in moord en brand geschreeuwd en pas toen een verpleegster haar zo ongeveer bewusteloos geprikt had, kon ze worden onderzocht en werd ze met voorrang behandeld, want het hele Westeinde Ziekenhuis hoorde van het ongewone rumoer van de weduwe en wenste dat zij zo snel mogelijk weer naar huis kon, naar de Juffrouw Idastraat, waar ze sinds mensenheugenis woonde.

Althans zo gaat het verhaal.

Een ambulance reed Eline nog half versuft terug naar het voorname stadshuis, waar ze door haar huishoudster werd opgevangen nog geen halve dag nadat ze vanwege haar hart naar haar keel had gegrepen. Het regende toen ze noodgedwongen was vertrokken en het regende nog steeds toen ze terugkeerde. Daarom had geen mens in de straat het unieke voorval gezien, behalve de stokoude prentenverzamelaar even verderop, die weinig klanten had en altijd voor het raam van zijn kleine etalage stond te turen, bijna als een wassen beeld.

Hij had het voorval natuurlijk onmiddellijk doorverteld in de buurt, van onder zijn grote zwarte paraplu, want hij stond – ondanks de regen – bekend als het lopend vuurtje van het Hofkwartier. Hij hield van aandikken. De weduwe Eline was onder hevig verzet haar huis uit getrokken, had hij rondgebazuind, gesleurd mag je gerust zeggen, met overmacht, door wel vier verplegers, dacht hij. Het was een consternatie van jewelste geweest. En ze was die dag nota bene ook nog jarig geweest, 67 jaar was ze geworden, tenminste dat had juffrouw Willems, haar huishoudster, hem ontsteld in het oor gefluisterd. Zij bleef mooi met het aardbeientaartje zitten, had hij er treurig aan toegevoegd.

Het aantrekkelijke van een lopend vuurtje is het aanwakkeren van de verbeelding. De oude man was vroeger hevig gecharmeerd geweest van haar verschijning. In die ene ontstellende glimp van de weduwe had hij gezien dat haar kastanjebruine haar zilvergrijs was geworden en alle blos uit haar wangen was verdwenen. Dat dacht hij tenminste. Zo had hij het rondverteld, als een opgewonden jongen die met een toeter van papier om aandacht vraagt.

Zij was in de vroege avond van 9 mei 1940 geboren in het Statenkwartier en haar ouders hadden hun dochter Eline genoemd, omdat ze van de romans van Louis Couperus hielden en vooral van Eline Vere, het beroemde feuilleton dat via de courant zijn eigen lopende vuurtje kende, aan het eind van de negentiende eeuw. Het was geen zware bevalling geweest. 'Ze kwam gewoon op het lentelicht af,' had haar vader rondgefluisterd. En haar moeder was zo gelukkig geweest met haar kleine meisje, dat ze in haar kraambed geen weet had gehad van de oorlog die de volgende dag was begonnen.

Haar vader had alle onheil buiten de deur weten te houden. Hij had mooi weer gespeeld als gelukkige echtgenoot, en pas toen haar moeder twee weken later van de huisarts Eline aan de wereld mocht tonen, was haar voorzichtig verteld dat Nederland door Duitsland was bezet en dat de koningin naar Engeland was gevlucht. Het enige wat ze gezegd had, was opvallend laconiek geweest: 'Hier op de Frankenslag hebben Duitsers niets te zoeken.' En ze had in de achtertuin familie en vrienden uitgenodigd om bij een kopje thee en beschuit met muisjes Eline van Bronkhorst te komen bewonderen. En iedereen had het over haar grote ogen gehad, die de wereld in keken met een blik van verbazing en melancholie, toen al.

Eline van Nieuwenhuyzen was altijd een verschijning geweest in het Hofkwartier. Ze had dat vleugje beau monde van toen Den Haag nog flaneerde en koketteerde. Aan de arm van haar man, met zijn onafscheidelijke, sierlijke wandelstok, leek ze altijd een beetje te zweven, met haar glanzende parels in drie strengen rond haar hals, haar bijzondere hoedjes en de opvallend waterblauwe ogen in een bleek ovaal gezicht, dat geen zonlicht verdroeg. Ze droeg haar kastanjebruine haar in een volle lange vlecht, glanzend en deinend als de staart van een veulen.

Ze was altijd onberispelijk gekleed, deed niet mee aan

de mode van de dag, zeker niet in de jaren zestig en zeventig. Ze bleef bij haar ruisende rokken en getailleerde jassen en ook toen jonge mensen om haar heen gebleekte spijkerbroeken begonnen te dragen, hield ze vast aan haar eigen stijl. En toch kon het gebeuren dat in de jaren van Kralingen en de Kabouters Eline erbij leek te horen, omdat haar vrolijke hoedjes vol bloemetjes een beetje flowerpower waren, zonder dat ze iets besefte van de opgewonden tegenwind van de tijd.

Vlak na haar huwelijk op 9 mei 1960, op de dag dat ze twintig werd, had Eline met de grote liefde van haar leven, Karel van Nieuwenhuyzen, een mooi huis in de Juffrouw Idastraat betrokken. Ze waren jong en wilden in het oude centrum wonen, dicht bij het Lange Voorhout en de Hofvijver en de Koninklijke Schouwburg, waar ze alles van de Haagsche Comedie probeerden te zien en genoten hadden van De Kersentuin met die ontroerende Ida Wassermann en die prachtige Paul Steenbergen. Ze waren heimelijk verliefd op hun favorieten, de jeune premier Guido de Moor en de veelbelovende Anne Wil Blankers.

Ze hadden eerst een appartement aan de Hofvijver bekeken, maar waren onmiddellijk gezwicht voor de ruimte in de Juffrouw Idastraat. De mooie hoge kamers, de brede entree, het trappenhuis en de weliswaar kleine, omheinde stadstuin, met een bloeiende meidoorn en een uitbottende blauwe druif langs de muur. Daarbij waren de huurprijzen niet zo hoog als rond het Voorhout en was er een bakker om de hoek en een slager en een groenteman.

Maar het voornaamste was dat Karel van Nieuwenhuyzen als jonge meester in de rechten zijn eerste baan kreeg bij de Raad van State, en dat was om de hoek. Zijn grootste wens was ooit kamerheer te worden, in dienst van Hare Majesteit, dicht bij koningin Juliana en haar familie.

Een week voordat Eline vijftig jaar werd, op 2 mei 1990, kwam Karel om het leven. Door een vervelend ongeluk. Hij vierde in de kring van vrinden van de State Tafel in de sociëteit De Witte aan het Plein zijn dertigjarig jubileum bij de Raad met een intiem diner en was stoutmoedig, en geheel tegen zijn onberispelijke natuur in, na drie glazen champagne op een stoel geklommen voor een toespraak. Nog vóór het eerste dankwoord was hij achterovergekieperd en had hij zijn nek gebroken in het gesteven boord van zijn lievelingsoverhemd. Dat met de parelmoeren knopen, dat hij ooit speciaal had laten maken en waarin hij zich – zoals hij altijd zei – een pauw voelde.

Vrinden vertelden later dat de vellen papier van zijn toespraak als witte vlinders onder de kroonluchters wegfladderden. Ze hadden zich eerst nog bijna proestend over hem ontfermd, om zich vervolgens rot te schrikken, zoals een van hen het wel vijf keer achtereen zei, toen Karel van Nieuwenhuyzen op de mooi geboende parketvloer van De Witte niet meer opstond. Een van de tafelbedienden die van eerste hulp wist had het feestvarken in rokkostuum op de dinertafel gelegd, tussen de servetten en het zilveren bestek, de borden met een nog onaangeroerd mooi culinair palet van zeewolf op een bedje van groene asperges, omringd door een kransje mousse van zalm, een toefje kaviaar en een drietal coquilles.

Hij had het mooie overhemd opengetrokken, zodat de parelmoeren knopen als een fontein sterretjes de lucht in vlogen. En met beide handen en veel kracht had hij op zijn borst gedrukt. Hij had de bisque nog in de snor van Karel geproefd toen hij volgens het boekje mond-op-mondbeademing toepaste, in- en uitblazend, tot het niet meer hoefde en alle vrinden die als versteend over de tafel hingen zagen dat het voorbij was met Karel van Nieuwenhuyzen, voorgoed voorbij. En het meest bevreesd waren geweest, de een naast de ander, om het Eline te moeten gaan vertellen.

Niemand wilde eraan, niemand durfde en het had niet veel gescheeld of er was om geloot. Maar toen had een studiegenoot van Karel, Willem Jan van der Molen, aangeboden de gang naar de Juffrouw Idastraat te maken. Hij kende Eline immers al van het gymnasium, hij had ooit een oogje op haar gehad.

De dag na de begrafenis van Karel van Nieuwenhuyzen op Eik en Duinen had Eline voorgoed de gordijnen aan de voorkant van haar huis gesloten. Iedereen in het Hofkwartier had met haar te doen en de eerste weken liepen de buurtbewoners uit respect voor het verdriet van de jonge weduwe op hun tenen en met gebogen hoofd langs haar omfloerste ramen.

De enige die op vaste uren van de dag naar buiten kwam om boodschappen te doen was juffrouw Willems, de huishoudster. Ze rende meer dan dat ze liep, keek om zich heen alsof ze achtervolgd werd en groette onderweg niemand. Bij de bakker om de hoek keek ze naar de vloer als ze een half casino en twee krentenbollen bestelde en ze betaalde altijd met gepast geld, om zo snel mogelijk weer te verdwijnen.

Ze was niet langer de juffrouw Willems die vóór het overlijden van haar meneer in haar vrije boodschapminuutjes zowat iedereen probeerde aan te klampen voor een praatje en het liefst een buurtroddeltje. Ze was een verre verwante van juffrouw Ida zelf, het befaamde kloppertje dat na de Beeldenstorm bij de rooms-katholieken in het kwartier aanklopte om rond te vertellen waar in een schuilkerk stiekem een heilige mis werd opgedragen. Soms bleef ze bij de bakker staan dralen omdat ze hoopte op een vage bekende uit de buurt. En ze was verzot op verhalen van achter de muren van Paleis Noordeinde, al ging het maar over het poedeltje van de koningin, dat iedere morgen door een anoniem hofdametje werd uitgelaten. Juffrouw Willems was een van de weinige intimi in het Hofkwartier die wist van de dagelijkse gang van het hondje van Hare Majesteit en op de een of andere manier voelde ze zich daarom bevoorrecht. Ze had het van de aardige kapper uit de Molenstraat, bij wie haar mevrouw iedere vrijdagmorgen een watergolf kreeg. Ze had het nooit doorverteld, dat had ze hem bezworen.

Toen de weken maanden werden, raakte het Hofkwartier gewend aan de gesloten gordijnen en keerde het gedempte dagelijkse ritme terug in de Juffrouw Idastraat. De weduwe Eline van Nieuwenhuyzen liet zich niet meer zien. Niet meer voor het raam, niet meer flanerend in haar ruisende jassen, niet meer bij haar kapper om de hoek en niet meer bij hotel Des Indes op het Lange Voorhout, waar ze met twee van haar beste vriendinnen iedere donderdag wel een middag lang thee ging drinken, geserveerd op dienblaadjes van de negentiende eeuw.

Het was de oude prentenverzamelaar die de stilte doorbrak van de heimelijke nieuwsgierigheid van iedereen die haar kende. Hij wist als geen ander van het aantrekkelijke gebied tussen fantasie en werkelijkheid. Hij zette de toon van het eerste verhaal over Eline.

Hij was er zeker van dat ze in de eerste herfst na de plotselinge dood van haar man op een nacht uit haar huis vertrokken was, opgehaald door een taxi. Ze had een deken om zich heen geslagen en was bijna onherkenbaar geweest. Maar hij wist het zeker, hij kende haar als geen ander. Iedereen wachtte de dag erna tot de gordijnen weer opengingen, maar dat gebeurde niet. En toen juffrouw Willems later dan anders met een dikke sjaal om en hevig verkouden naar buiten kwam voor haar spurtje naar de bakker, keek iedereen de boodschapper bijna bestraffend aan. Hoe verzin je zoiets? Maar intussen zette hij wel de toon voor de jaren die volgden.

Eerst werd er nog verteld dat de weduwe Eline van Nieuwenhuyzen er een minnaar op na hield, die via een achteringang van de oudkatholieke kerk naar binnen kon glippen, zonder dat iemand hem zag. De kosteres van de kerk zat in het complot en de kerk zelf was al eeuwen een schuilkerk tussen de Molenstraat en de Juffrouw Idastraat in, dus wat wil je. De minnaar kreeg de proporties van een Haagse Don Juan van naam.

In het begin was het nog een bevriende jurist, toen werd het al een rechter, vervolgens een lid van de Raad van State en ten slotte werd er op straat bijna ruzie gemaakt over écht de echte naam van de minnaar: de minister van Justitie was het, nee, nee, want die was een kop kleiner dan de minister van Onderwijs. Een lange rijzige man, die was het, die was in het Paleishotel gesignaleerd, wel twee keer, zogenaamd omdat daar een delegatie van een internationaal onderwijscongres verbleef, maar dat was schijn, dat was natuurlijk een mooi alibi.

Iemand had hem op een avond zien oversteken. Iemand had hem met de kosteres zien smoezen. Iemand had hem in een auto met chauffeur zien vertrekken, en zeker niet vanuit het Paleishotel. Gun haar na al dat verdriet toch een pleziertje, had de prentenverzamelaar gezegd en daar was een beetje om gelachen, want hij zei het met een stem van een onvervuld verlangen.

Maar intussen woekerden in het Hofkwartier de dorpsmythes rond de weduwe, in het wilde weg, als uit de hand gelopen hersenspinsels, stof voor honderd roddelbladen. Je kon op een gegeven moment het snoeven soms op straat horen. En het vingerwijzen bijna zien.

Zo verliep het wilde leven van Eline van Nieuwenhuyzen, zonder dat zij er zelf iets van wist. Want geloof maar niet dat juffrouw Willems iets vertelde. Dan zou zij, dat wist ze maar al te goed, buiten de Hofkring geduwd zijn en dat wilde ze nooit van haar leven. Niet de weduwe hield haar op de been, maar het besloten circuit van de steeds opmerkelijker verhalen, die elkaar in leven hielden en die, als een feuilleton in de vergeten krant, een mooi publiek geheim werden, ritselend door de smalle straten van het kwartier, als mussen in een ligusterhaag. Soms dacht ze wel: Ze moesten eens weten. Maar alles bleef in het nachtkastje van haar hoofd, toegedekt onder haar strak gekamde grijze haar, met het strenge, bijna vermanende knotje er boven op.

Uiteindelijk raakte Eline van Nieuwenhuyzen vergeten. Ze werd zoiets als een buurtsprookje dat inmiddels vijftien jaar later veel versies en veel aanpassingen had. Ze was dood verklaard en gek geworden, ze hadden haar midden in de nacht horen gillen. Maar bijna niemand had er nog oren naar. Er waren andere, nieuwe mensen in het Hofkwartier komen wonen. De handelaar in prenten kende hen al lang niet meer allemaal. Het waren vreemden in dezelfde buurt. Hij kon er niet aan wennen.

Het lopend vuurtje was zo goed als gedoofd toen Eline op 10 mei 2010 haar laatste adem uitblies. De weduwe had, zo ging het losse eindje van het verhaal, behalve juffrouw Willems niemand aan haar sterfbed willen hebben en helemaal niemand aan haar graf. Alleen de geest van Karel zou daar zijn, haar Karel zou op haar liggen wachten, in hun graf op Oud Eik en Duinen. Daar had ze naar uitgekeken, dat wisten oude buurtgenoten die haar gekend hadden.

Er is op de tiende mei – zeventig jaar na het begin van de oorlog – maar één zwarte auto de Juffrouw Idastraat ingereden, en twee mannen in glimmende, veel te vaak gestoomde zwarte pakken hebben haar in haar kist naar buiten gebracht. Ze struikelden nog bijna over een losse deurmat, maar hielden de dode gelukkig in evenwicht.

Toen zij voor het laatst buiten kwam, was de straat leeg. De prentenverzamelaar zat binnen, in het halfduister. Hij kon niet meer lang staan, het kwam door zijn gewrichten, had hij de buren laten weten. Daarom zagen ze hem niet meer. Met zijn stramheid was zijn nieuwsgierigheid verdwenen en daarmee was het lopende vuurtje gedoofd. Zo gaat dat.

Toen de kist in de auto stond en Eline van Nieuwenhuyzen wegreed uit haar ingesnoerde, uitgebloeide en in de steek gelaten verhaal, stond er niemand in de deuropening om afscheid van haar te nemen, ook juffrouw Willems niet. Zij stond snikkend achter de gesloten gordijnen boven, ze durfde kennelijk niet naar beneden, niet naar de werkelijkheid, niet naar het tegenstribbelende daglicht in de smalle straat van het Hofkwartier.

Drie dagen later, toen de in al die jaren aangezwollen stoet vermeende minnaars verbleekt was, samen met de weerklank van al die verzinsels – drie dagen later, op donderdagmorgen, was een jonge vrouw die met haar bejaarde vader in de Juffrouw Idastraat woonde de straat opgerend om hulp te vragen. Zij woonde naast het huis van de weduwe. Ze knikte altijd beleefd, maar een praatje zat er niet in. Ze hield er kennelijk van haar eigen leven te leiden, anoniem, in de schaduw van haar aardige vader. En die lag in het portiek van het huis, half ineengezakt tegen de geknakte trapleuning aan en bewoog zich niet meer. 'Ik denk dat er een dokter aan te pas moet komen,' zei ze, 'ik moet bij hem blijven. Wilt u er alstublieft een bellen?' De dokter was gekomen en de vader was niet veel later in een ambulance weggebracht naar het Westeinde Ziekenhuis.

De stille dochter had de paar mensen in de straat bedankt, die bedremmeld – en nieuwsgierig natuurlijk – waren blijven wachten op de ambulance, omdat ze verder niet zoveel te doen hadden. En toen had iemand gevraagd hoe het de laatste dagen met haar buurvrouw was gegaan, met Eline van Nieuwenhuyzen. De weduwe, u weet wel.

Nee, ze wist van niets. Ze kende haar niet. Ze kende alleen juffrouw Willems. Die woonde er al jaren. Zij paste op het huis van een mevrouw die sinds mensenheugenis samenwoonde met de beste vriend van haar overleden man, in Frankrijk. Die beste vriend was plotseling aan een hartstilstand bezweken, had ze gehoord. En dat heeft de mevrouw niet overleefd. Een week geleden is zij in Nice gestorven. Van verdriet. Wist u dat niet?

Heeft juffrouw Willems u dat dan niet verteld?

De kapper van Hirsi Ali

'Goedemorgen, met Hofkwartier Coiffures. Wij zijn nog gesloten, maar wat kan ik voor u betekenen?'

'Goedemorgen, mijnheer Pierre, kunt u het haar van mevrouw Hirsi Ali doen? En kunt u ditmaal zelf naar haar toe komen? Ja, kunt u dat? Is het niet teveel gevraagd? Dat is attent van u. Wilt u een taxi op haar rekening nemen, dan bent u hier binnen een halfuur. Er is een zekere haast bij. Mevrouw moet op tijd in de Tweede Kamer zijn.'

De grijze kapper, die vanwege zijn sonore stem door zijn vrienden al jaren de Haagse Figaro wordt genoemd, heeft het even niet meer.

Ook dat nog. Nooit tijd voor zichzelf. Hij kan niet tegen haast.

Hij trilt een beetje van de zenuwen, schrijft het adres op, kijkt even in de spiegel of zijn haar goed zit, belt een taxi en zegt met een zekere triomf in zijn stem tegen een assistente, die achterin de zaak een pruik op een etalage-kop probeert te fatsoeneren: 'Tot zo, ik ben naar Ayaan Hirsi Ali, maar niemand mag het weten.'

In de taxi kijkt hij eerst nog even of hij zijn kapperstas en de kapmantel niet vergeten is, en laat zich vervolgens naar het geheime adres rijden, in een deftige wijk van de stad, die op het zand ligt, zoals Hagenaars dat noemen.

Hij betaalt de chauffeur en haast zich naar het grote portiek van het flatgebouw van rode baksteen.

Hij keurt de tuin om zich heen, ziet dat het buitenhek geschilderd wordt en dat de zachtrode variant van de meidoorn begint te bloeien. Hij loert nog even op zijn briefje en belt aan. Drie keer, zoals afgesproken. Achter hem staan vier jonge bewakers als poortwachters alles en iedereen in de gaten te houden. Jongens in krijtstreep met iets te grote zonnebrillen en veel gel in hun haar. Te veel Amerikaanse politieseries gekeken, denkt hij, en hij schrikt van de harde stem door de intercom. 'Bent u daar meneer Pierre? Ja hoor, ik doe open.'

De deur gaat met een zoemertje open en in de grote hal wordt hij opgevangen door drie eendere veiligheidsjongens.

Zouden ze ze klonen?

Hij laat zich gewillig meenemen naar de linkerlift in de grote hal met veel koper en houten lambrisering, twee enorme trappen in een halve boog omhoog en aan de muur een schilderij. Willem Drees, als hij het goed heeft. Wonderlijk, die man hoorde toch meer in een bejaardenhuis als Avondrood.

De lift is met de tijd meegegaan. Er hangt een moderne alarmtelefoon en het knoppenbord naar de etages is van mat aluminium. Hij gluurt even in de spiegel en ziet tot zijn verbazing dat zijn drie begeleiders naar de grond kijken. Alsof ze niet mogen weten hoe hij, Pierre, er precies uitziet. Gecoiffeerd als altijd, met zijn grijze haar in twee banen achterovergekamd, dik en stevig nog voor zijn leeftijd, als de manen van een paard.

Op de vierde verdieping, de hoogste van het gebouw, stopt de lift met een kleine schok, alsof hij even hikt.

Pierre wordt verwelkomd door de juffrouw van de telefoon. Ze ziet er vriendelijk uit, in een degelijk mantelpakje, een beetje klein van stuk. Het haar van de kleine brunette heeft wel een verfje nodig. Haar scheiding vertoont een grijs spoortje, als een riviertje in het kastanjebos.

Ze heeft een modern brilletje op de punt van haar neus en in haar ogen twinkelt gelukkig wel wat. 'Kunt u nog even wachten?' zegt ze, en ze laat hem het appartement binnen. Terloops fluistert ze: 'U weet dat ze hier niet woont. Ze is hier nooit geweest, begrijpt u.' Pierre weet het, ze is... hoe heet dat, balling in eigen land, ze zit gevangen in haar beloofde land, ze is als altijd op de vlucht. Van Somalië naar Nederland heeft hij in de krant gelezen. En nu wordt ze uit Nederland weggejaagd. Hij houdt zijn mond.

Smaakvol. Hij kijkt de grote kamer in, met zonlicht dat wordt gefilterd door de hoge bomen tegenover het aangename terras. Een paar strakke zachtgele banken met terracotta kussens. Een blankhouten tafel met vier stoelen. Een boekenkast. En wat moderne schilderijen aan de muur. Meer niet. Het is niet haar huis. Het is voor even, geleend. Om te schuilen. Voor het laatst.

Op een sidetable liggen stapels kranten en boeken en staan een paar foto's van mensen die hij niet kent. Is zij het meisje aan de hand van de oude, donkere man? Is zij dat met de grote verbaasde ogen? Het moet wel.

O, daar is ze.

Ayaan Hirsi Ali komt op hem af, kijkt hem recht in de ogen en zegt: 'Fijn dat u er al bent, meneer Pierre.' Zij geeft hem een hand, en hij valt meteen weer voor haar, hoewel dat niet zijn gewoonte is. Ze draagt een sneeuwwitte blouse met een gesteven, omhoogstaande kraag en een mooie ruimvallende donkerblauwe broek. Ze heeft kleine parels in haar oren.

Ze vraagt lachend of hij haar maar even wil volgen naar 'haar kapsalon'. Door de gang komen ze in een ruime badkamer en voor de twee wastafels staan stoelen klaar. 'U staat waarschijnlijk liever. Maar ik dacht, misschien wilt u af en toe even zitten. U kunt hier uw spullen uitstallen. Mocht u nog iets nodig hebben, vraag het aan mijn assistente. Ik kom zo. Ik verwacht nog een telefoontje.'

De spiegel hangt gelukkig hoog genoeg. Anders zou hij moeten bukken. Hij pakt zijn tas uit en legt de scharen, borstels en kammen netjes in volgorde op een kleine theedoek die hij gelukkig niet is vergeten. Hij gaat zitten, kijkt of er water uit de kraan komt, voelt even aan de twee klaarliggende handdoeken, ruikt aan het stukje zeep, bekijkt zichzelf in de spiegel en denkt: Hoe zou Charles het vinden, als hij me hier zo zou zien zitten. Arme Charlie. Hij is al een jaar dood. Zaterdag moet ik naar het graf van mijn moeder in Brabant. Vorig jaar ging het niet. Hij was nog zo dichtbij.

Zaterdag gaat hij maar naar het kleine kerkhof in zijn geboortedorp, waar zijn familie zich van hem heeft afgekeerd. Hij herinnert het zich nog zo goed. Als de dag van gisteren.

Ons Peerke homo? Dat kan niet.

Iedereen zei het, ook zijn vader. En zijn enige, oudere broer had geroepen: 'Die rare kwast bestaat niet meer voor mij.'

Het is alweer dertig jaar geleden. Zo lang al? Alleen zijn

moeder is nog weleens naar Den Haag gekomen, samen met een vriendin, stiekem, want zijn vader mocht er niets van weten. Ze hield van haar lange Peer. Dat gaat niet over, jongen. En Charles vond ze best wel een aardige man.

Hij hoorde het zijn moeder nog zeggen: 'Hij valt best wel mee, jongen.'

En dan aten ze samen taartjes in een Haagse theesalon met krullen en hadden het vooral over het weer en daarna vertrokken ze weer snel, als door de achterdeur, veel te haastig voor twee oude dames. Toen zij stierf heeft hij veel verdriet gehad, tranen met tuiten gehuild op de schouders van Charlie. Ze zijn niet naar haar begrafenis gegaan, dat kon echt niet, daar was het hele dorp. Maar hij heeft – misschien wel vals – een reuzenkrans laten bezorgen van rode rozen met alleen maar DAG ONS MOEKE erop. 'Een beetje wraak mag toch wel,' fluisterde hij tegen Charlie.

Een paar maanden later, in de winter, is hij voor het eerst naar haar graf gegaan. Niemand wist meer wie hij was, ook de koster niet, die bij hem op de lagere school heeft gezeten en die hem op het kerkhof door de hoge hekken binnenliet. Hij vond de kleine grijze grafsteen afschuwelijk goedkoop, ordinair, alleen haar naam stond erop. In lelijke, harde letters. Zonder iets erbij. Niet eens 'In dankbare nagedachtenis'. Niet eens 'Rust Zacht'.

Alleen haar naam Cornelia Maria van Grinten, geboren Bekkers.

Zaterdag gaat hij maar weer. Om Neel, zoals Charles haar noemde.

Helemaal alleen naar dat gat. Hij ziet ertegen op.

Eigenlijk is hij ook gevlucht, denkt hij. Weggevlucht. Charlie zei het altijd: 'Peer, we blijven ballingen. We zijn nooit helemaal veilig.'

Er wordt zachtjes geklopt en de brunette steekt haar hoofd om de deur van de badkamer. 'Mevrouw Hirsi komt er zo aan. Heeft u nog een ogenblikje, meneer Pierre? Wilt u misschien een kopje koffie?'

'Nee, dank u wel, mevrouw. Vriendelijk van u, maar ik ben al een tijdje van de koffie af. Ik neem wel een glaasje water.' Hij pakt een glas, ruikt eraan of er niet een tandenborstel in heeft gezeten, vult het met water en drinkt voorzichtig met kleine slokjes.

Zijn gedachten dwalen weer af, dat gebeurt altijd in de wachtminuten van zijn leven. In de korte pauzes tussen wassen, verven, drogen en knippen door. Vijf dagen in de week. Hij is ervan gaan houden, van de overpeinzingen en herinneringen, die als vlaagjes bij hem binnenvallen en vanzelf oplossen als hij verder moet. Je ziet het weleens aan de hemel. Een sluier ragdunne wolken die binnenwaait en weer verdwijnt.

Wat had Charlie graag met Ayaan willen praten. Charlie volgde gretig alles in de wereld. Ook de politiek. Pierre hield van zijn openhartige ergernis. En van zijn onbegrensde bewondering. Hij liet nooit het achterste van zijn tong zien. Alleen thuis, aan tafel bij een glas wijn en onder vrienden. Het knalde er soms uit, als hij iets had opgekropt dat hem verschrikkelijk tegenstond. Dan wist hij van geen ophouden. Dan stroomde het naar buiten. Het ongenoegen. De kwaadheid. Zijn angsten ook. Toen Pim Fortuyn was vermoord, riep hij: 'Geloof me, Pierre, het zijn slechte tijden, vol slechte mensen.' Wat Pim naliet was een stelletje slapjanussen, labbekakken en non-valeurs geweest. 'Die gaan nog met elkaar op de vuist. Dat wordt iedere dag Poolse landdag.'

'Zie je wel,' zei hij later. Charlie had gelijk. Hij zag het.

Een advocaatje van de duivel, heeft hij hem weleens genoemd, zijn kleine meester in de rechten.

Hij staat even op en loopt naar het open raam in de badkamer. Hij kijkt naar buiten en snuift iets op van de geur van de bloeiende meidoorn. Hij tuurt over de daken heen en herinnert zich een etentje bij een oudere collega van Charles, in net zo'n statig huis als dat aan de overkant. Het ging er aan tafel hevig aan toe.

Hij herinnert zich weer hoe bevlogen Charles prins Claus verdedigde tegenover de gastheer, die niet veel op had met de Duitse echtgenoot van de koningin.

Hoe hij de prins prees. Claus had een vrije geest. Die man had moed. Hij was geen mooiprater en sierduif, zoals zijn schoonvader. Zivilcourage. Hij zal het woord nooit meer vergeten. Prins Claus had zivilcourage.

'Soeverein zonder stropdas.'

Charles kon het zo mooi zeggen.

'En kijk maar, Peer, hij houdt van Beatrix, zielsveel.'

Charles wilde per se afscheid van prins Claus nemen. De mensen stonden op de Prinssewal met duizenden in de rij te wachten. Tot na middernacht. Ze zijn er toch maar bij gaan staan. Bijna twee uur, tot ze langs fakkeldragers in de tuin paleis Noordeinde in konden en hem voor het laatst mochten zien. Het was koud en hij vond dat Charles er slecht uitzag, terwijl zijn hiv, zoals hij het noemde, al lang onder controle was en hij toch dolle pret en veel zon had gehad bij zijn vrienden in Kenia. Het was altijd hetzelfde liedje: 'Peer, ik verlang zo naar de stranden van Turtle Bay.'

Charlie had dicht tegen hem aan gestaan, toen hij plotseling begon te huilen. 'Vind je het zo erg?' had hij hem gevraagd. 'Heb je zo met Beatrix te doen?' 'Nee dat niet,' zei hij. 'Maar ik heb een stervende jongen in mijn armen gehad, die op straat lag in Nairobi. We zagen hem liggen, niemand keek naar hem om. In het ziekenhuis was geen plaats voor hem. Alleen op de gang. Daar hebben we hem moeten achterlaten. Ik, Charles, ik, de gelukkige sterveling zat daar met een ongelukkige dode.'

Iedereen voor ons en achter ons in de rij dacht dat Charlie om Claus huilde. Ze waren ook aangeslagen en verdrietig. Ze hadden met Charlie te doen. Ook het meisje met de bekertjes warme chocola. Ze had hem even over zijn bol geaaid. Zoals je bij een kind doet. Als troost.

De bleke wangen van hém zagen ze niet. Hij wist zo goed wat Charles in Nairobi had gezien en wat ze allemaal hadden meegemaakt, lang daarvoor al.

Ze hielden elkaars hand vast, toen ze prins Claus voor het laatst zagen.

Charlie was sterk geweest toen er aids bij hem werd ontdekt. En best laconiek. Hij was nu eenmaal een wegwuiver. 'Ik kom eroverheen, Peer. Ik haal het. Ik red het. Geloof me. Ze doen er hier alles aan. Ik laat me niet kisten.' Dat zei hij vaak: 'Pierre, ik laat me niet kisten. Door niemand.' En het ging goed met hem, hij overleefde het, in tegenstelling tot veel van hun vrienden.

Hij hoort het hem weer zeggen: 'Ik ben aan de danse macabre ontsnapt, Peer, ik ben een gelukkige sterveling.' Het was zijn zelfgekozen bijnaam. Alle jongens om hem heen noemden hem zo en op de allereerste Roze Zaterdag van Den Haag liep Charles mee in de hiv-stoet met allemaal de tekst GELUKKIGE STERVELINGEN op hun T-shirts. Hij was er kapot van toen Freddie Mercury aan aids stierf. Hij zat uren te janken bij 'Bohemian Rhapsody'. En intussen mee te zingen. Vol overgave, een beetje heupwiegend, zoals alleen Charlie dat kon, hartverscheurend was het: 'Mama ohohoho... I don't want to die...' Hij zong het daarna nog vaak. 'Mijn immuunsong,' zei hij lachend. Alsof het hem niet zou overkomen, sterven als Queen Freddie.

Hij redde het.

Behalve dan zijn hart. Dat brak. In nog geen vijf minuten. Hij zat voor de televisie op de sterfdag van ons moeke, een jaar geleden, achter de krant. Toen Pierre thuiskwam, had hij even gedacht dat Charles in slaap was gevallen.

Iedereen was er op zijn crematie, alle jongens uit de buurt, zijn vrienden overal vandaan. En bijna iedereen jankte om hem en sloeg de armen over elkaars schouders en zong zachtjes mee, toen Freddie op een groot scherm boven zijn vurenhouten kist als een witte engel 'Bohemian Rhapsody' inzette en Charlies hemel opende.

De urn met de as van Charles staat thuis onder de grote spiegel, waarin hij zichzelf zo vaak bekeek, de ijdeltuit. Het is een mooie plek, tussen de twee kleine olifanten van albast uit Kenia. Wat blijft hij dichtbij. Soms overvalt hem het gevoel dat Charlie zomaar uit de urn kan springen en er weer is. Als Aladdin. Al was het alleen maar om ons samen nog een keer te bekijken.

Charles en Pierre. Peerke en Charlie.

Je kon wel met hem lachen. Tot op het laatst.

'Moet je ons nou toch eens zien, Peer. Mini en Maxi naakt voor de spiegel.'

De deur gaat open en Ayaan Hirsi Ali komt binnen met een kleine map onder haar arm: 'Meneer Pierre. Ik ben er. Sorry dat ik u moest laten wachten. Het was nog even puzzelen met deze tekst hier. Mag ik hem aan u voorlezen? Ik ben benieuwd wat u ervan vindt. Hoe het klinkt. Of het duidelijk is wat ik zeg. Of u het begrijpt.'

Ze gaat op een van de twee stoelen zitten en kijkt glimlachend naar hem op. Hij kan natuurlijk geen nee zeggen. Hoewel hij wel een beetje bang is dat hij zich verknipt in het glanzend sterke zwarte haar. Daar moet hij niet aan denken.

'Doet u maar, mevrouw Ayaan.'

Hij doet haar voorzichtig de kapmantel om, pakt een kam van de wastafel en kamt het haar voorzichtig een beetje los. En samen bekijken ze in de spiegel wat er moet gebeuren.

'U kent mijn haar, meneer Pierre, u weet precies wat u moet doen. Dus gewoon hetzelfde liedje. Zo zeggen ze dat toch hier in Nederland? Het is altijd hetzelfde liedje.'

Ayaan zit rechtop in de stoel voor de grote spiegel. Ze heeft haar map op schoot. En de velletjes papier in haar hand. Ze leest aandachtig. Ze schrijft iets op in de kantlijn. Hij staat achter haar, buigt zich licht over haar heen en leest: 'Het gaat om mijn naam.'

Ze laat de tekst even rusten en Pierre stopt met knippen.

'Ik lees u niet alles voor. Alleen wat van belang is. Wie ik ben. Waar ik vandaan kom. Dat mogen ze niet vergeten. Daar gaat het om.'

Ik ben Ayaan,
de dochter van Hirsi,
die de zoon is van Magan,
de zoon van Isse,
de zoon van Guleid,
die de zoon was van Ali,
die de zoon was van Wai'ays,
die de zoon was van Muhammad,
van Ali, van Umar,
van het geslacht Osman, de zoon van Mahamud.
Ik ben van deze clan.
Mijn oervader is Darod,
die achthonderd jaar geleden
vanuit Arabië naar Somalië kwam
en de grote stam van de Darod stichtte.
Ik ben een Darod,
een Macherten,
een Osman Mahamud
en een Magan.
U weet nu hoe ik heet en wie ik ben.

Ze zegt het niet tegen hem alleen, maar tegen een wereld achter de spiegel. En ze herhaalt de woorden steeds opnieuw. Ze kijkt niet meer op haar papier. Ze kent haar woorden uit het hoofd. Achter Ayaan ziet hij zichzelf en haar in de spiegel.

Ze weet wat ze te zeggen heeft.

Het moet. Dat hoor je aan haar stem. Het moet.

Hij begrijpt niet veel van poëzie, maar voor Pierre is het na de derde keer meer een gedicht dan een opsomming, dan een droge tekst. Ze draagt het voor. Het zingt bijna. Het klinkt als een lied zonder muziek. Een mantra, zou Charles zeggen.

'Klinkt het, meneer Pierre?'

'Heel goed, mevrouw Ayaan.'

Ze maakt vliegensvlug van een kleine grijze sjaal een strik in haar vlecht. Ze kijkt naar hem omhoog. 'Klinkt het? Begrijpt u het?' En dan zegt ze het, langzaam en duidelijk tegen de spiegel:

> Ik ben Ayaan, de dochter van Hirsi,
> die de zoon was van Magan.
> Vandaag leg ik mijn lidmaatschap van de Tweede Kamer
> neer.
> Ik ga Nederland verlaten.
> Verdrietig en opgelucht zal ik opnieuw mijn koffers
> pakken.
> Ik ga door.

Ayaan blijft nog even doodstil zitten. Met haar tekst op schoot. En haar hoofd gebogen. Hij kijkt naar de strik in haar veulenvlecht. En naar haar parels. Hij heeft met haar te doen. Hij denkt: Het is toch geen leven. Dag en nacht bewaking. En niet meer welkom hier. Het land uitgezet door dat mens Verdonk. De mensen beseffen niet wat ze doen. Ze doen maar.

Gelukkig maakt Charles het niet meer mee. Hij zou uit zijn vel springen. Hij zei in zijn laatste maanden dat de wereld aan het kantelen was. Van licht naar donker. Van zachtaardig naar kwaadaardig, zei hij: 'Alles bevriest, alles wordt hard en koud. We worden weer vijanden van elkaar. We moeten weer uitkijken op straat, Pierre.'

Als hij later de restjes haar met een stoffer en blik bij el-kaar heeft geveegd, zijn kapperstas heeft ingepakt, om zich heen kijkt of hij niets heeft laten liggen en de bad-kamer verlaat, staat Ayaan Hirsi Ali aan het eind van de gang. Ze loopt op hem toe, geeft hem een hand en doet de deur voor hem open.

'We zien elkaar waarschijnlijk niet meer, meneer Pierre.'

'We zullen u missen, mevrouw Ayaan.'

Mevrouw Ayaan lacht niet. Dat begrijpt hij.

Hugo de Groot in de mist

Ik ken hem al jaren. Van het voorbijgaan. Het is zo'n beleefde oude man. Een hoffelijke man. Als hij een hoed droeg, zou hij hem voordurend afnemen. Zo'n man die dames altijd voor laat gaan, behalve natuurlijk op de trap naar boven. Zijn vader had waarschijnlijk een extra schone zakdoek bij zich voor het geval hij op de Lange Vijverberg tegenover het Binnenhof onder de lindebomen zijn meegebrachte boterham zou opeten, om uit te spreiden op een bank, voordat hij ging zitten. Het zou kunnen, zo'n man, iedere morgen op weg naar een ministerie met achter op de fiets onder de snelbinders twee boterhammen met kaas en een appel in zijn trommeltje. Zo'n trommeltje dat je na de lunch dicht kan klappen, zodat het met gemak tussen de paperassen kan in de werktas.

Zo'n man is het, zo'n Hagenaar.

Ik zit vandaag tegenover hem in het stoombad, denk ik. Een man zonder kleren aan de overkant in de vage stoom, dat kan iedereen zijn. Maar hij zou het kunnen zijn. Hij heeft in ieder geval een stem die vertrouwd is en waar je meteen naar luistert.

'Warme mist,' fluistert hij, daar verlangt hij altijd naar. Daar kijkt hij naar uit. Dat zegt hij tegen de andere man die hier in de nauwelijks zichtbare andere hoek van het stoombad zit. En tegen mij, denk ik. Hij vertelt dat hij hier iedere maandagmorgen is. En dan niet alleen vanwege zijn koude voeten en zijn oude knieën, moet u weten. Maar ook om de geborgenheid, om even bijna onzichtbaar te zijn en anoniem.

'Zoals ik jaren geleden op de fiets in de mist over de polderweg naar onze lagere school reed. Plotseling waren mijn vriendjes weg en zag ik ze niet meer, vervaagden ze en losten ze op. In een oogwenk. Ik fietste als jongen altijd al achterop en ik voel hier nog steeds iets van de sensatie van je even helemaal alleen op de wereld voelen. Fietsen op de tast. Weet u nog hoe dat voelt? Kijk mama, met zonder handen.'

Vandaag is de man tegenover mij kennelijk uit zijn doen. Niet omdat hij hier niet helemaal alleen is in het stille uur na de maandagspits. 'Voor het eerst voelt het hier gewoon als stoom, onbehaaglijk en te heet,' fluistert hij, en dat ligt aan hem. Het onbehagen zit vanmorgen in hemzelf. Hij blaast stoom af. Het is misschien een dooddoener, maar anders kan ik het niet zeggen, er komt stoom op me af. En daarachter zie ik bijna wat hij vertelt. Hij praat in beelden. In zijn zachte stem klinkt een man van verhalen. Zoals mannen sinds mensenheugenis in kringen bij elkaar zitten in badhuizen en het over geluk en ongeluk hebben, van goden en van mensen dicht bij huis.

'Ik heb, moet u weten, zojuist op straat een jonge vioolbouwer ontmoet, die ik ken uit de buurt waar ik woon. De jongeman liep er verlaten bij, alsof hij iemand verloren had. Hij maakt op een zolder ergens in het Hofkwartier de mooiste violen. Hij heeft zo'n vrolijke natuur dat het lijkt alsof hij altijd met zijn blonde krullen in de wolken loopt. Niemand kan zo enthousiast vertellen over de vreugde van zijn werk als hij. Hij vertelde hoe prachtig een jonge violiste hier in de Kloosterkerk laatst op zijn viool heeft gespeeld. Op zíjn viool. "Alsof er nachtegalen in mijn klankkast zaten," zei hij. Mooi, vindt u niet?

Tot vorig jaar bouwde hij fluitend aan zijn toekomst, want op zijn werkplaats hoefden zijn violen nooit lang op hun violisten te wachten. Het was geen vetpot, dat wist hij, maar er kwam muziek uit zijn handen. Daar gaat het hem om. Ze zouden er altijd zijn: Mozart, Bach, Brahms en Beethoven en al de andere halfgoden. En hun vertolkers natuurlijk. En volle concertzalen. Altijd mensen met tranen in hun ogen. Maar er is een gure tegenwind komen opzetten die de toekomst haar adem beneemt, de mensen hun muziek, de vioolbouwer zijn werk en zijn geluk.

Ik kwam hem net tegen, met zijn mooiste viool. Hij haalde hem uit de kist en liet hem me trots zien. Hij streelde de sierlijke klankkast van glanzend hout met de kleur van kastanjes. Hij tokkelde even op de nieuwe snaren. Maar de twinkeling was uit zijn ogen verdwenen. Dat zag ik. Met pijn in zijn hart moest zijn viool naar de Haagse lommerd. In de hoop op wat leengeld. Om het nog even te kunnen uitzingen.

Het is droevig gestemd met de wereld, vindt u niet?'

Het is even stil in de warme mist van onbehagen. Ik zie alleen dat de man tegenover mij verschuift. Alsof hij niet prettig zit.

'Laat ze in godsnaam van Hugo de Groot afblijven,' vervolgt de stem aan de overkant. Hij heeft zich jarenlang als archivaris over zijn brieven en die van zijn tijdgenoten ontfermd. Over hun en onze Gouden Eeuw.

'We zouden zijn *Mare Liberum* allemaal moeten lezen. Over het recht op de vrije zee, over de zee die van iedereen is, die niet door een land of volk kan worden ingenomen. Net als het vrije woord. En de vrije geest. En het vrije geloof. Het is zo'n uniek en prachtig document, al vierhonderd jaar. Een uurwerk, dat we niet kwijt mogen raken, zeg ik altijd. Het geeft de waarde van de tijd aan. De kwintessens. Begrijpt u dat? Begrijpt u dat ik me zorgen maak over de nonchalance en de willekeur en de arrogantie waarmee ze op het ogenblik met de uurwerken van onze beschaving omspringen? De wijzers hardhandig uit de klok willen trekken? Bibliotheken willen sluiten. Symfonieorkesten en toneelgezelschappen willen opheffen. En vioolbouwers op straat zetten.'

Hij zucht diep, de man in de mist met zijn ziel onder zijn blote arm. Hij moet zijn gal even kwijt, dat is duidelijk.

'Wie is Hugo de Groot?'

De stem uit de andere stille hoek van het stoombad klinkt aarzelend en niet helemaal Haags.

'Kent u de man uit de boekenkist dan niet?'

'Nee, want ik kom hier niet vandaan. Ik kom uit Turkije

en woon hier in de buurt, niet ver van de moskee met de twee minaretten. Kent u die? Ik weet dat daar vroeger een synagoge heeft gestaan. Op dezelfde plek. De moskee was vroeger een synagoge, wist u dat? Het was hier om de hoek ooit een Joods kwartier. Maar van Hugo de Groot weet ik niets. Van andere kisten wel.'

'Van kisten?' vraagt Hugo de Groot.

'Ik begraaf doodgeboren kinderen. Ik zorg voor hun laatste kleine rustplaats. In mijn geloof weten ze dat er in de hemel ook een plekje is voor kinderen die het leven niet gehaald hebben. Ik heb veel huilende jonge moeders en vaders meegemaakt. Zoveel verdriet om het gemis van een kind dat geen kans heeft gekregen. Gestorven geboren. Het is een kleine troost dat ze er dan van overtuigd zijn dat het kind toch ergens naartoe is.

Ik had vanmorgen een jonge vader aan de telefoon, die door zijn tranen heen belde om mijn hulp. Hun eerste kind was doodgeboren. Ze waren er al bang voor. Het meisje zou Aysun gaan heten, naar de grootmoeder van zijn vrouw. Ze geloven dat hun Aysun ergens is aangekomen, op een veilige plek. En dat ze daar wordt opgevangen. In de schoot van de goden, dat geloof ik ook. Ik help ze daar naartoe.'

We zijn er stil van, Hugo de Groot en ik. We hebben niets te zeggen. De derde man vertelt dat hij naar het ziekenhuis gaat, waar het dode kindje nog is. Dat hij daar de ouders opvangt. Hij praat roerend over zijn werk. Heel rustig. Alsof hij het aan ons wil uitleggen en ons het verdriet toevertrouwt dat hij dagelijks deelt.

'De ouders zijn zo ontredderd. Straks, als ik ze ontmoet, weten ze zich geen raad. Alles stond thuis al voor

Aysun klaar. De wieg in de hoek van hun slaapkamer. De babykleertjes in de nieuwe kast. De familie die naar het kind uitkeek. Ook in Turkije. Weet u wat Aysun betekent? Mooi als de maan.

Ze hebben Aysun nooit levend in hun armen gehad. Niet horen kraaien van plezier. Nooit haar eerste woordjes horen zeggen. Ze hebben haar niet zien opgroeien. Het is nooit het mooie Turkse meisje in Den Haag geworden. Zij wordt nooit hun trots.

Ik moet voorzichtig de begrafenis regelen. Aysun moet een mooie overtocht krijgen in haar kistje. Daar zorg ik voor. Ik help hen met alles. Ze zijn er onhandig in, alles is onbegrijpelijk voor hen. En ik geef hun een steuntje. Dat is mijn werk. Ik heb veel doodgeboren kinderen begraven. En ik weet waar ze zijn. Mijn eigen doodgeboren zusje ligt niet alleen op een begraafplaats in een dorp achter Efes, waar ik vandaan kom. Ze is daar ook in het bijzondere hoekje van onze hemel. Mijn ouders hebben haar Melek genoemd, engel. Melek vangt Aysun op, zeg ik straks tegen de ouders. Mijn zusje zit boven op haar te wachten. Het is een kleine troost, maar het helpt. Hoe noemt u dat ook alweer? Ze kikkeren ervan op. Mooi hè? Engel vangt in onze hemel Maan op.'

Ik moet aan Bartje denken, een vriendje van de lagere school in mijn geboortedorp. Hij was mijn eerste dode. We waren allemaal gaan zwemmen en hij was de beste. Hij dook al van de hoge en haalde onder water bijna de overkant. Het was zo'n zomerdag waarop het hele openluchtzwembad van ons was. Keten met elkaar. We kwamen zonder Jantje thuis. We misten hem niet eens. Bartje was vast nog lekker blijven duiken in z'n eentje, dachten we. Nog één keertje en dan kom ik, had hij geroepen. De badmeester zag hem op de bodem liggen. Hij was gestikt in zoute drop. Ik moest naar hem toe. Ik was zijn beste vriendje. Hij lag in de huiskamer met de gordijnen dicht op de eettafel, waar we met zijn moeder boven puzzels hadden gehangen met stukjes lucht en stukjes kasteel. Hij lag in een open kistje op het tafelkleed. Ik durfde nauwelijks naar hem te kijken. Hij zag er bijna nog niet dood uit. Wel heel bleek en stil en hij had een rozenkrans in zijn gevouwen handjes. Had hij zijn lievelingstruitje van Abe eigenlijk aan? Voetballen op straat en iedere dag zwemmen, dat was hij. Hij droomde van Abe Lenstra. 'Wat een lief spits bekkie had Bartje toch,' zei zijn moeder. Ik kreeg nog een glaasje limonade van haar en dat heb ik per ongeluk laten vallen. 'Niet erg hoor, jongen,' fluisterde ze me toe. Ach, die arme Bartje.

'Efes, is dat niet Efeze?'

Hugo de Groot vraagt het, met een stem die een toontje hoger klinkt. Als een vrolijk misthoorntje. 'Efeze van de brieven van Paulus, komt u daar vandaan? Efeze van een van de zeven wereldwonderen? Van de tempel van Artemis, de godin van de jacht en van de maan? Het is misschien wel de mooiste tempel geweest die ooit op aarde heeft gestaan. U bent een gelukskind. U bent van onze bakermat. Bijna alles waar wij vandaan komen, komt bij u vandaan. Efeze is gesticht door Amazonen, vrouwelijke krijgers te paard. Vierduizend jaar geleden. Vierduizend jaar. Het is de geboortestad van Alexander de Grote. Het was het kroondomein van keizer Augustus. Ik heb me zelden zo gelukkig gevoeld als toen ik voor het eerst op de trappen stond tussen de overgebleven zuilen van de bibliotheek van Celsus. Daar werd tweeduizend jaar geleden de aanvang van onze westerse cultuur bewaard, bestudeerd en gekoesterd. Ik zag al die lezers en schrijvers in die enorme marmeren leeszaal, waar twaalfduizend perkamentrollen in nissen in de muren lagen. Dubbele muren waren het, om ze te beschermen tegen vocht.

Voor de bibliotheek stonden vier beelden. Wijsheid, deugd, verstand en kennis. Vier waakgodinnen. Vier beschermvrouwen. Ze staan er nog steeds. Ze bewaken onze herkomst. Onze bron. Ik wou dat ze hier stonden, voor de Koninklijke Bibliotheek, om ons te behoeden voor de onverschilligheid van deze tijd.

En ú komt van daar. Dat vertelt u alsof het doodnormaal is hier in de mist van dit kikkerland.'

Even is het stil na zoveel opluchting en verhaal. Hugo de Groot komt op adem in het stoombad. Hij zucht opgewekt, zo te horen. Hij is weer in zijn element.

'Hoe wéét u dat allemaal? U weet meer dan ik. Als het lukt kom ik nog een keer per jaar in Efes. In mijn vakantie. Met mijn drie kinderen. Voor bezoek aan mijn familie en mijn dorp. Om bij te praten en samen te eten en met de kinderen een dagje naar zee te gaan. Uw bibliotheek zegt mij niets. Mijn vader zei vroeger voor de grap: ze komen weer met z'n duizenden oude stompjes kijken. Als ze na de oogst niet iedere dag op het land werkten, speelde hij weleens taxichauffeur. Om hen van het hotel naar de hotspot te brengen. Zo noemen Amerikanen Efes, wist u dat? Een hotspot. Ze kijken hun ogen uit, zei mijn vader altijd, maar ik zie het niet. Ik hoop dat ze van uw Hugo de Groot afblijven.'

'Ik hoop het ook. Heel prettig met u kennis te maken. Ook al zie ik u niet zo goed. U spreekt goed Nederlands. U hebt onze mist weer enige warmte gegeven. Er is weer een glimlach op het oude gezicht van deze somberman. Ik dank u dat u zo'n prachtig werk verricht voor de ongeboren kinderen en voor het verdriet dat achterblijft. Ik kan wel merken dat u uit Efeze komt. De kracht en de waarde van klassieke rituelen zitten in u. Ik hoop dat u het kunt blijven doorgeven. Dat ze er hier van afblijven. We zijn er zelf veel van kwijt.

Weet u, soms denk ik dat het bijna niet meer bestaat. Ik bedoel voorleven. Ik zal u vertellen wat het betekent, als u nog even hebt. Een Joodse schrijver, een goede vriend van mij die helaas is overleden, vertelde me vlak voor zijn dood dat hij zich zorgen maakte over de groeiende onverschilligheid om hem heen. Hij zag dat de traditie van eerlijk en fatsoenlijk voorleven aan het verdwijnen is.

Het is heel simpel, leven is een kwestie van mentaliteit. Ouders moeten kinderen daarin een voorbeeld geven. Ik herinner me nog goed dat hij zei dat veel kinderen niet meer voorgeleefd krijgen dat er grenzen bestaan: dit is eerlijk en dat is oneerlijk. Hij had het er moeilijk mee, mijn vriend. U doet dat. U geeft het goede voorbeeld. Wij kunnen hier allemaal van u leren.'

Alsof hij wakker is geschud uit zijn ergernis, zo geestdriftig praat hij en zo overtuigend, in ouderwets mooie volzinnen. Dat hoor je niet vaak. Hij weet waar hij het over heeft, Hugo de Groot in de warme mist.

'Meneer daar. Dat vindt u toch ook?' Hij heeft het voor het eerst tegen mij. Ik knik zonder geluid en denk: Voorleven, een voorbeeld zijn, dat moet ik onthouden, daar kan ik wat mee.

Ik moet om elf uur in de Tweede Kamer zijn. Ik moet opschieten. Femke heeft al drie keer getwitterd. Leers wil onder druk van Wilders een Fries schoolmeisje uit Afghanistan het land uitzetten. Het arme kind is veertien. Hoe breng ik het ze aan hun verstand dat Sahar moet blijven, dat ze een van ons is?

De schim van Hugo de Groot verlaat het stoombad, met zijn rug naar mij toe.

Ik zie alleen zijn magere billen.

Een zonderling

Ik ben vandaag de derde reiziger in de bus en voel me als een pelgrim op weg naar het huis van M. Vasalis, met haar gedichten als metgezel in mijn hoofd en in mijn binnenzak, veilig tegen mijn hart aan. Het zijn drie bundeltjes, die nauwelijks iets wegen. Ik heb me aan de reis gewaagd en ben vanmorgen vroeg vanuit Den Haag vertrokken. Als een verliefde oude bankbediende, heimelijk op weg naar zijn muze. Ik woon in haar gedichten. Alsof ik op kamers woon in mijn eigen huis. Ik zit in 'Afsluitdijk', het gedicht waarin Vasalis in een bus door de nacht rijdt, en als in een droom in het raamglas de geest van de bus ziet, met slapende matrozen en met zichzelf. Het gedicht deint zoals deze bus door het voorbijglijdende oktoberlandschap. Het is nog zomer buiten en het is een heldere dag. Ik had geen regenjas aan hoeven doen. Altijd die twijfel. Wel of geen regenjas. Wel of geen pet op mijn restje grijze haren.

Ze hebben er nooit veel van begrepen en dat geeft niet. Die is nu helemaal gestoord, zou Martin zeggen, als hij me hier in de bus van Groningen naar Roden had zien zitten, in m'n eentje achterin. Met voor mij op de bank geen jonge matrozen, die onschuldig op elkanders schouder slapen, maar twee meisjes van nauwelijks vijftien die aan één stuk door tegen elkaar zitten te kletsen en tegen hun mobieltjes, alsof ze met z'n vieren zijn.

Martin zie ik niet veel. Dat ligt aan mij. Voetballen op zaterdag doe ik al lang niet meer. Balletje biertje, jongens. Biertje balletje was het. Daar ben je op een dag te oud voor. Martin heeft met een biertje op, op weg naar de wc, in het voorbijgaan een boekje van Vasalis uit mijn kast getrokken en tegen mij geroepen: 'Wat moet jij daar nou toch mee jongen?' En stikkend van het lachen heeft hij voor iedereen uit haar laatste gedicht voorgedragen, zwaaiend met zijn armen:

> En nu nog maar alleen
> het lichaam los te laten –
> de liefste en de kinderen laten gaan
> alleen nog maar het sterke licht
> het rode, zuivere van de late zon
> te zien, te volgen – en de eigen weg te gaan.
> Het werd, het was, het is gedaan.

'Het is met hem gedaan, jongens,' riep hij, 'de postbode moet zo nodig poëet worden. Powééét,' zei hij. Hij kon er niet bij, Martin. De eigen weg te gaan. Weg te zijn. Het laten gaan. Hij snapte het niet.

Een zee van vrije tijd komt op je af, had de chef van de postkamer al weer tien jaar geleden gezegd. En kruip niet achter de geraniums bij moeder de vrouw, dat wordt je dood. Doe iets op de getemde baren van de grijze golf!' Dat zinnetje had de chef ingestudeerd voor ieder afscheid. Vanaf die dag dat hij na een vriendelijk koud buffet voor bewezen diensten met pensioen was gestuurd, was hij langzaam wakker geschud. Bij hem was het een stille liefde voor poëzie geworden. Veel te laat, maar toch. Zo voelde het.

Al jaren las hij iedere morgen bij het ontbijt in zijn krant eerst wie er gestorven waren en daarna pas de voorpagina. Hij spelde de rouwadvertenties en namen van de doden. Hij keek hoe oud ze waren geworden en waar ze vandaan kwamen. En of hij bekenden tegenkwam. En honderdjarigen. We worden steeds ouder. Dat monterde hem op. Hij had de tijd.

Het was begonnen met een zinnetje dat hij meer dan eens tegenkwam boven de rouwadvertenties en dat in zijn hoofd bleef hangen en weigerde te verdwijnen: *En niet het snijden doet zo'n pijn, maar het afgesneden zijn.*

Zo was hij bij Vasalis terechtgekomen, bij M. Vasalis. Hij had nog nooit van de naam gehoord. Hij wist niet of het een man was of een vrouw. Hij vroeg zich af waar de M. voor de naam vandaan kwam. Maarten of Marianne, zo heette zijn vrouw. En of er nog andere regels waren. Er waren in zijn werkzame leven nooit gedichten langsgekomen. Want wie op de postafdeling van een bank heeft daar tijd voor? Geen mens toch? Dichters waren van een andere planeet. Poëzie bestond voor hem niet. Dat was van andere mensen.

In de boekhandel om de hoek in de Passage, waar hij nog nooit was geweest, had hij aan een meisje achter de balie gevraagd of ze iets van een dichter hadden met de naam M. Vasalis. 'De dichters staan hier achterin om de hoek,' had ze gezegd. 'In de kleine kast.' Hij voelde zich als een kind in een doolhof, kende de weg niet en zocht er bijna op de tast naar. 'Daar moet u zijn,' zei het meisje. Ze had zijn hulpeloosheid gezien en was achter hem aan gegaan.

'Daar, bij "Poëzie".'

Hij was met zijn wijsvinger langs de smalle ruggen en de namen gedrenteld, zoals hij dat jaren met bankbrieven had gedaan. Achterberg, las hij, en Bloem en Gerhardt, Herzberg, Kopland en Leopold. Bijna helemaal onder in de kast, vlak voor de Z, had hij een blauw boekje ontdekt, dat bijna onzichtbaar tegen Vroman aan stond. M. VASA-LIS stond er op de zijkant. En daarnaast: *De oude kustlijn.* Hij had de bundel er voorzichtig uitgetrokken, even om zich heen gekeken of niemand hem zag en was aarzelend door het mooie, dikke papier op zoek naar die ene zin gegaan. Niet te vinden. Maar hij had wel iets anders gevonden en dat trof hem.

> De zomerwei des ochtends vroeg.
> En op een zuchtje dat hem droeg
> vliegt een geel vlindertje voorbij.
>
> Heer, had het hierbij maar gelaten.

Simpel maar mooi, had hij gedacht. Een beetje ouderwets, dat wel. En terug bij de balie had hij aan hetzelfde meisje gevraagd of ze misschien iets meer van Vasalis hadden. Daarvoor moest hij bij de mevrouw van de informatie zijn. En die mevrouw had hem niet alleen geholpen, zij kende ook die ene zin uit de krant. Ze wist ook wat er vóór de zin stond, ze kende het gedicht uit haar hoofd. Als een liedje.

'"Sotto Voce", mijnheer.' 'Sotto wat?' 'Het betekent zachtjes praten,' zei ze. 'Met ingehouden stem,' zei ze. En ze boog zich voorover en de woorden van Vasalis kwamen over hem heen. Als een zachte huilbui, had hij zich later gerealiseerd:

> Zoveel soorten van verdriet,
> ik noem ze niet.
> Maar één, het afstand doen en scheiden.
> En niet het snijden doet zo'n pijn,
> maar het afgesneden zijn.
>
> Nog is het mooi, 't geraamte van een blad,
> vlinderlicht rustend op de aarde,
> alleen nog maar zijn wezen waard.
> Maar tussen de aderen van het lijden
> niets meer om u mee te verblijden:
> mazen van uw afwezigheid,
> bijeengehouden door wat pijn
> en groter wordend met de tijd.
>
> Arm en beschaamd zo arm te zijn.

Zo werd ze zijn muze, met haar glinsterende oogjes achter een brilletje zoals dat van zijn grootmoeder. Zij had de prins met pensioen wakker gekust. Hij bestelde bij haar de drie bundels van de dichteres, die geen Marianne maar Margaretha bleek te heten, maar in de omgang was het alleen Vasalis. En als meisje heette ze Kiek, voegde zijn muze eraan toe. Om het ijs te breken.

Hij herinnerde zich de schrik toen de boekhandel had

gebeld met de mededeling: 'Vasalis ligt voor u klaar.' Drie bundels. Samen meer dan veertig euro. Hij had het thuis maar niet verteld. Maar zijn vrouw had het bonnetje gevonden. Voor die drie boekjes? Ben je helemaal gek geworden, had ze geroepen. Maar daar had hij zich niets van aangetrokken.

Het was late liefde op de eerste zin geworden. Een park in de woestijn. Aan de hand van de onbekende Vasalis begon hij te lezen. Eerst argwanend en met lichte ergernis. Was het niet allemaal opgeblazen flauwekul? Maar toen ontdekte hij achter en onder de woorden soorten van verdriet en soorten van schoonheid en soorten van herkenning en begrip en vond hij voor het eerst muziek in taal. Met horten en stoten ging het, woord voor woord, als op de lagere school, en op een dag ging het als vanzelf.

Vasalis kreeg onderduikgezelschap, zoals hij het noemde. Niemand in zijn omgeving wist dat de dichters er waren. Zelfs voor Marianne waren ze onzichtbaar. Eerst arriveerde J.C. Bloem, de nummer twee van de rouwadvertenties. En toen kwamen de hem onbekende namen, een voor een. Gerrit Achterberg en daarna Judith Herzberg en Rutger Kopland en Leo Vroman.

Hij hield het op kleine bundels en kocht ze mondjesmaat en in de uitverkoop en bij De Slegte. Want daaraan geld uitgeven bleef zijn vrouw zonde vinden. Alweer twintig euro voor één boekje?

Eerst had hij zijn aanwinst een beetje weggestopt op het richeltje aan de zijkant van de lege schoorsteen, toen op een stapeltje in het afgesloten kastje onder de televisie

en uiteindelijk had hij het gewaagd en de eerste boekenkast van zijn leven gekocht. Niet dat iemand hem ooit zag
staan in het hoekje van de gang bij de keuken. Ze liepen
eraan voorbij, aan die rare tic van hem. Tot op de dag van
vandaag.

Ik moet eruit op de Brink van Roden. Bij Ot en Sien, heeft
de chauffeur gezegd en hij wuift dat ik er ben. Als we stop-
pen, zie ik de jonge helden staan. Ze zijn beroemder dan
Vasalis, die hier bijna haar hele leven aan de rand van het
dorp woonde, verscholen in de bossen op de grens van
Groningen en Friesland. Anoniem. Met haar man en
haar drie kinderen. In stilte. Ze wilde van niets en niemand weten. Zij schuwde aandacht. Ze hield zich schuil
achter haar poëzie. Alleen daarin was iedereen welkom.

Ik weet het en ben niet hier om de stilte te verstoren. Ik
wilde alleen al lang een wandeling maken naar het ach-
terland van haar parken en woestijnen. Zij heeft mij hier-
heen getrokken en ik weet zeker dat ze er tien jaar na haar
dood nog is. Ergens. Overal.

De verbeelding heb ik van haar geleerd. Eerst begreep
ik het woord niet eens. Vasalis heeft mij ergens doorheen
geholpen. Een dicht gebleven deur. Een mistbank. Je zou
maar op mijn leeftijd voor het eerst lachen en huilen bij
een gedicht. En meer zien dan er op het eerste gezicht
staat. Door de woorden heen kijken.

Hier kwam zij dus. Hier liep zij met een tas vol boodschappen. En achter een kinderwagen. Hier ging zij
rechtop op haar fiets, onder de bomen door, langs de kleine kerk, bijna onzichtbaar weggedrukt achter de Blokker
en de Hema.

Ze hield niet van haast. Ik ook niet meer.

Langzaam leren lopen. Dat hoort bij dichters. Ik ga eerst maar op het wonderlijke geluid af dat verder weg opklinkt uit straten die namen dragen als uit haar gedichten: Spijkerzoom lees ik en Windgat. Klokslag twaalf uur zie ik, worden daar in de hele straat alle geleegde vuilnisbakken tegelijk van de stoep naar binnen gerold. Op afspraak lijkt het wel. In de maat. Ik blijf verbaasd staan tot iedereen binnen is en alle deuren dicht zijn en het Windgat stil is als een verlaten straat. Ik wandel verder en even buiten Roden, in de richting van Norg en Nuis, loopt de landweg naar een zandpad, dat weet ik van de kaart thuis en het klopt.

Ik heb me mijn hele leven niet kunnen voorstellen dat ik hier ooit in mijn eentje zou belanden. Hier te zijn en te lopen, naar een berkenbos dat overgaat in dennen en sparren en daarna velden van varens en groepjes flinterdunne paddenstoelen, die door de lage zon hoedjes van licht hebben.

Hoedjes van licht. Hoe kom ik erop? Zo stil en wijds en helder als hier is het niet in het Haagse Bos. Ik ken het ruiken niet. Opsnuiven met mijn hele neus. En kijken. Rondkijken. Omkijken. Wegkijken.

En daar, verscholen aan de rand van kleine weidevelden, in de verte die langzaam naderbij komt, staat het witte huis, met een rood dak en markiezen boven alle ramen. Verder hoef ik niet. Ik weet uit haar gedichten dat het smalle pad dat erheen leidt voor niemand toegankelijk is. Op een versleten bord staat dat de weg hier doodloopt.

Maar het is mooi genoeg voor mij. Ik zie om mij heen dat Vasalis hier nog is. Het is hier haar 'Oktober':

> Teder en jong als werd het voorjaar
> maar lichter nog, want zonder vruchtbegin,
> met dunne mist tussen de gele blaren
> zet stil het herfstgetijde in.

Dit hoopte ik. En het overkomt me. Door haar gedichten wandelen. Hier is hun land van herkomst. In het weiland staat een oud en verlaten bad als drinkbak voor paarden. Groen uitgeslagen en eenzaam. Het moet het bad zijn waar de idioot in zou hebben kunnen zitten. Hoe begint het ook alweer?

> Met opgetrokken schouders, toegeknepen ogen,
> haast dravend en vaak hakend in de mat,
> lelijk en onbeholpen aan zusters arm gebogen,
> gaat elke week de idioot naar 't bad.

> Zijn zorgelijk gezicht is leeg en mooi geworden,
> zijn dunne voeten staan rechtop als bleke bloemen,
> zijn lange, bleke benen, die reeds licht verdorden
> komen als berkenstammen door het groen opdoemen.

De enige beweging hier is van zwenkende zwaluwen hoog aan de hemel en van twee stokoude mannen die mij zachtjesaan tegemoetkomen. Ze hebben honden bij zich, die loslopen en vooruitrennen en telkens omkijken, met kwispelende staart. Ze zijn van de domeinen van Vasalis, het kan niet anders: Ik kwam twee oude mannen tegen met dunne halzen en met haperende voet.

'Goedemiddag, heren.'

'Goedemiddag,' zeggen ze terug. Met een beleefde knik, alsof ze een onzichtbare hoed voor me afnemen. Bijna had ik 'Het klopt' laten vallen. Het kriebelt even maar blijft achter mijn tong hangen. Voor een brede glimlach. Alsof ik ze ken, maar dat weten ze niet. Hoewel… Waarom kijkt eerst de een en dan de ander nog twee keer naar me om? Zeker een vreemdeling, die wandelaar. Of heeft hij toch iets van een bekende?

Het is prachtig hier achter Roden. Alles klopt. Het is haar natuur. Ik heb het van haar geleerd: de sensatie van gewone dingen. Kijk maar om je heen, schrijft ze. Het is bijna niets, maar wat is het veel. Alleen al het lage licht over de geschoren akkers. Ik merk het op. Het komt uit mijn hoofd.

Ik weet wat het is: opgelucht ademen. Het komt er zomaar uit. Opgelucht.

Het geluk van nutteloze terzijdes, dacht ik laatst zomaar. Ik heb het opgeschreven. Hier begrijp ik het helemaal. Het meeste wordt niet meer opgemerkt. We lopen eraan voorbij.

Niemand hoeft mij meer te begrijpen. En Marianne laat me met rust. Mannen moeten een hobby hebben. Ze haalt alleen nog af en toe haar schouders op. Zoals ze af en toe mijn bundels poëzie een voor een uit de boekenkast in de gang haalt en ze afstoft, zonder er een blik in te wagen. Vanmorgen, toen ik wegging, zei ze glimlachend bij de deur: 'Succes dan maar op de woelige baren van de grijze golf.' Ze wist het nog. Ze vindt mij maar een zonderling.

Zonderling. Ach ja, het geluk van een zonderling, die het woord wijl niet kende omdat het uit een andere tijd komt. Maar het nu ongestoord gebruikt in zijn hoofd, als het binnenwandelt:

> En plots begon het hele park te beven,
> bomen en blaadren golfden in een warme vloed
> van tranen, die binnen mijn ogen bleven,
> wijl men om het bestaan niet wenen moet.

Wijl. Je kunt er natuurlijk *omdat* van maken. En van wenen huilen. Voor mij blijft wijl sterker. Wijl verander je niet. Wenen ook niet. Zeg het maar eens hardop: *omdat men om het bestaan niet huilen moet.*

Ik moet om halfdrie de bus terug halen. Of zal ik hier op het laatste bankje voor het dorp blijven wachten op de volgende? Een uur later kan ook. Ik heb de tijd. Niemand wacht op mij of wacht mij op. Marianne is op donderdag bij haar oudste zus. Daar blijft ze eten en soms ook slapen.

Ik zou hier wel willen blijven. Op kamers in het dorp. Boven Blokker, met zicht op de kerk. Niemand zou mij missen. Alleen op verjaardagen en met Kerstmis naar Den Haag om te zeggen dat het goed met me gaat.

Zou ik het durven? Het hoeft niet, zou ze denk ik zeggen. Neem mij maar weer mee naar huis:

> Er is geen einde en geen begin
> Aan deze tocht, geen toekomst, geen verleden,
> Alleen dit wonderlijk gespleten lange heden.

Even alleen met dit wonderlijk gespleten lange heden. Ik kan mijn regenjas wel uitdoen en naast me leggen. Haar gedichten zitten er veilig in. Ik voel de bundels zitten. Tegen elkaar aan.

Ik heb geen last van pijn aan mijn knieën vandaag.

Dat is voor het eerst sinds maanden.

Ham

Iedereen in de buurt kende de mooie randjes van het verhaal. Dat Nel toch maar weer met haar moeder was meegegaan. Na dagen tegenstribbelen was ze gezwicht. Nel zat zo niet in elkaar, dat wisten ze. Ze was een nuchter mens. Natuurlijk had ze ook weleens wat. Wat dacht je. Bijna dertig jaar iedere dag broodjes staan te smeren en kroketten bakken, pekelvlees en lever snijden en altijd alles pico bello in orde. Iedere avond de vloer geschrobd, spic en span.

Dat gaat niet in je kouwe kleren zitten, dat gaat in je rug hangen. Ze was de jongste niet meer, ze was toch ook al tegen de zestig, dus wat wil je.

Nel hield in haar eentje de tent draaiende sinds Sjaak er niet meer was voor de zware dingen, voor de inkoop, voor de kratten bier en spa en de zakken geschilde aardappelen voor de eigen patat. En de hammen en de emmers fritessaus. Ze had sinds kort gelukkig hulp, van een bedeesde kleine jongen uit Bangladesh, die op een morgen had aangeklopt en in drie woorden Nederlands had gevraagd of ze werk voor hem had. Nel had hem goed bekeken, gezien dat hij een aardige oogopslag had en het met hem geprobeerd, voorlopig drie ochtenden in de week. De sjouwdagen, zoals ze het noemde: alle leveranciers met bestellingen aan de deur en de vuilnis naar buiten, dinsdag en donderdag. Hij heette Mohammed en ze had hem Ham genoemd.

Goedemorgen Ham, had Nel de eerste dinsdagmorgen met een knipoog gezegd. En hij had het aanvaard en sindsdien noemde iedere klant hem Ham, en er was in het begin nog hard gelachen om 'een broodje Ham' en 'een uitsmijter Ham' en 'een niet te bruine tosti Ham'. Maar de lol was er snel af, want Ham was een aardige jongen en beleefd. Hij werd nooit kwaad en glimlachte om de grappen, die hij niet eens helemaal verstond. En ham at hij niet. Alles van varkens mocht niet. Hij kende het verschil tussen halal en haram. Tussen wel en niet, tussen mogen en niet mogen. Hij had het nooit gemist. Net als een biertje. Waarom zou hij ook.

Zijn familie uit Bengalen werkte even verderop in de avondwinkel, die ook overdag open was. Ooms en neven vooral, die allemaal op Ham en op elkaar leken en die hij als hij vrij was ging helpen. In de avondwinkel keek hij tot diep in de nacht naar de piepkleine televisie op de toonbank, waarop via een verborgen schoteltje Bollywood-films te zien waren. Met wiegende zachte jengelmuziek.

Altijd allemaal mooie meisjes van ons, had hij glunderend verteld. In de buurt zag je ze niet, zijn meisjes. Eén keertje maar, toen als bij toverslag, de jonge vrouw van een neef van Ham voor de deur had gestaan. Een schoonheid. Schuchter, met een glimlach. Ze droeg een hemelsblauwe hoofddoek, die over haar smalle schouders viel en haar gezicht helemaal vrijliet. Nel had nog nooit zulke mooie ogen gezien. Zo helder en groen en glinsterend. De Haagse jongens van de plantsoenendienst die bij haar een bakkie en een bal kwamen halen trouwens ook niet. Ze vielen zowat ter plekke van hun kruk af. Bengaals vuur, had er een gezegd. En hun mond viel open.

Nel was aan Ham gewend geraakt. Hij deed zijn werk, sprak nooit veel, at tussen de middag zijn twee broodjes kaas en dronk veel water, en maar één keer had hij gelachen zoals ze bij haar konden lachen bij een biertje aan het eind van de dag. Dat was toen hij voor het eerst drie oude straatvegers langs zag komen, die met hun gemeentewagentje iedere dag het vuil uit de straat veegden. Ze kwamen uit het land van Ham, ze kwamen ook uit Bangladesh.

Ham zag hen, was naar buiten gelopen en had ze met een buiging de hand geschud en na een begroeting omhelsd. Ze hadden even staan praten en dat had hem kennelijk zoveel vertrouwd plezier gegeven, dat hij nog stond te glimmen toen hij de tafeltjes buiten schoon poetste.

Ze komen uit mijn land, niet ver van mijn dorp, had hij gezegd. En sindsdien keek hij naar ze uit, als ze vroeg in de morgen in hun oranje regenkielen langskwamen. Heel soms maakte hij een praatje, maar meestal zwaaide hij alleen maar en dan klaarden ze alle drie op alsof er een vreemde zon de straat binnenkwam. Nel kende er een van vroeger, een jongen die jaren goedgemutst bij haar langsliep. Ook als het regende en stormde en hij met zijn gemeentekarretje de natte rommel op moest ruimen, ging hij vrolijk met bezem en prikker achter de opwaaiende troep aan. Hij ving vuilnis. Nel was altijd weer verbaasd hoe die man met zorg en aandacht zijn werk deed. Hij had net als zij oog voor ieder vuiltje. Ze wist dat hij van ver kwam, hij had het haar een keer verteld toen ze hem uit de sneeuw binnen had gevraagd voor een kop thee. Ze dacht weleens dat hij ook de kleine vuilnis uit haar hoofd meenam. Alsof hij de slechte buien in zijn wagentje kieperde. Nel knapte er in ieder geval van op. Net als Ham.

Ham was zich een hoedje geschrokken toen hij voor het eerst iemand een haring zag eten, rauw en aan het staartje het keelgat in. Hij moest het ook proberen van Nel, maar het ging niet, hij vond het een rare gewoonte, hij kokhalsde bij het idee alleen al. Bijna nog in leven, en dan ook nog met uitjes erop. Is meer voor de meeuwen op straat, had hij gezegd.

Wat ze trouwens allemaal op hun broodjes deden, daar begreep hij niets van.

Halfom, lever en pekelvlees, tartaar met uitjes. En laatst had iemand om een rolmops gevraagd. Of anders misschien een zure bom. Rolmopsen hadden ze niet meer, had Nel gezegd. Maar ze had wel zure bommen. Het was een grote augurk. Nel had Ham uitgelegd dat als je een kleine zure bom samen met wat uitjes in een zure haring rolt, je een rolmops hebt. Haar vader was er gek op geweest.

Toen hij Nel begon te helpen met broodjes klaarmaken, had hij het meeste plezier in een broodje kroket. De kroket in het hete vet laten pruttelen, hem er met een netje uit vissen en laten uitlekken op een stuk keukenrol. En dan op een wit broodje leggen met een kloddertje mosterd ernaast. Hij zag de vaste klanten blazen en bijten en hun mond branden en vroeg zich iedere keer opnieuw weer af waarom ze niet konden wachten, waarom ze zo gulzig waren.

In de vroege avonduren kwam de buurt bij Nel illegaal een biertje halen. Ze had geen vergunning, maar iedereen wist het, bijna iedereen. Van achter de vitrine met vleeswaren en kaas en eiersalade toverde ze voor zichzelf graag een whisky'tje tevoorschijn, met cola light, 'een frisje voor tante Nel' heette dat. Ze zorgde altijd voor genoeg ossenworst en leverworst en als het gezellig werd en ze bleven plakken, deed Ham de bitterballen in de frituur. Als ze meer dan drie frisjes ophad, kon de avond niet meer stuk en dan liet ze zich soms verleiden om te gaan stappen. Het waren de avonden dat Nel haar lippen stiftte en haar wimpers een kleurtje gaf. Ze had altijd een vrolijke jurk achter de diepvries hangen, voor de gelegenheid. Meestal bleven ze dan in een café om de hoek hangen, waar André Hazes een blijvertje was en 'Zij gelooft in mij' de vaste binnenkomer. Ze zong ze graag mee, zijn liedjes, maar de vaste jongens moesten niet aan haar komen. Sinds Sjaak er niet meer was, kon ze het niet meer hebben. Ze moest altijd aan hem denken, als iemand zijn arm om haar middel legde of zich een beetje te veel tegen haar aan drukte. Één keer was ze bijna gezwicht. Maar toen ze toch wel teut met zo'n Frans thuiskwam en haar moeder in de keuken zag scharrelen, had ze hem weggestuurd. Aardige jongen, maar ze was de volgende morgen opgelucht dat haar lijf niet op de polonaise was ingegaan.

Het was voorbij, vond ze, ze was te oud, ze had geen kriebels meer, soms nog een beetje, maar daar ging ze niet meer op in. Nel was daar open over vond ze zelf. Iedereen mocht het weten. Iedereen mocht alles van haar weten. En van haar moeder. En van die Jomanda. En van die rare dominee uit Katwijk.

Nel was weer met haar moeder meegegaan. Na lang zeuren.

'Die man redt me, kind, geloof me, hij laat me weer lopen.'

Haar moeder was al jaren slecht ter been, maar wat wilde je ook. Ze was te zwaar, had te weinig beweging en at veel en vet, taartjes, altijd taartjes, en dan zeuren. Wie weet, misschien werd ze er weer wat vrolijker van. Want happy was ze niet meer, al jaren niet. Ze was nu bijna tachtig. Ze was achttien geweest toen ze haar had gekregen, een moetje heette dat toen, en haar vader had het bij één kind gelaten en was toen plotseling verdwenen. Ze was alleen op de wereld geweest, zo voelde ze het als ze bij vriendinnetjes thuis was, bij van die grote gezinnen in het Laakkwartier.

Zo ongeveer iedereen in de broodjeszaak wist dat Nel met haar moeder al eens naar Jomanda was geweest, helemaal in Valkenburg, naar haar kerk van Maria Vrede. Met rode wangen en een flesje ingestraald water waren ze thuisgekomen en dat flesje moest onder haar matras liggen, dan zou haar kromme rug vanzelf rechttrekken. Mooi niet. Moeder en dochter hadden het flesje op de juiste plaats gelegd, er ook nog wat water uit op haar kussen gesprenkeld en toen was ze gaan slapen, nadat ze voor het eerst sinds jaren een groot kruis had geslagen, van haar permanent tot haar navel, op haar knieën voor haar bed. Dat moest van Jomanda.

De volgende morgen was haar moeder Nel bijna uit-gelaten komen wekken. 'Meid het heeft gewerkt,' zei ze, 'Jomanda heeft me genezen.' Nel had haar in jaren niet zo soepel de keuken in zien lopen om koffie te zetten. 'Ik kom je in de zaak helpen vandaag,' riep ze nog. Maar toen ze ging zitten aan de keukentafel en moest bukken om een koekje van de grond te rapen, schoot het er gewoon weer in.

En nu was er weer zo'n wereldwonder, veel dichterbij, in Katwijk, een helderziende prediker met helende han-den. Of ze nou kanker hadden of een hersenbloeding, een hartafwijking of gewoon te veel cholesterol, volgens haar moeder genas hij hen allemaal, dat had ze in de krant gelezen en ook nog op televisie gezien. Hij zag eruit als een betrouwbare man, met een net pak en een stropdas, dus geen malloot mocht Nel dat soms denken, maar een ouderwetse dominee. Haar kromme rug moest een klei-nigheidje voor hem zijn en ze zou hem meteen vragen zijn hand op haar spataderen te leggen, dat ging dan in één moeite door. En Nel moest eraan geloven.

Nel was nooit gelovig geweest. Ze had wel een vermoe-den dat er iets meer moest zijn, want alleen maar broodjes kroket in het leven, dat kon niet. Ze wist niet precies hoe ze het moest begrijpen, die God van hierboven. Ze begreep het niet, het geloof, ze was als kind nooit naar de kerk ge-gaan. Ze was weleens jaloers geweest op vrome vriendin-netjes die met een bloemenkransje in het haar zich als engeltjes voelden. Ze had ook weleens om zo'n kransje ge-vraagd, maar haar moeder had naar haar hoofd gewezen en gezegd dat dat niets voor hen was, dat ze daar niet bij hoorden, dat ze genoeg hadden aan zichzelf en de fami-lie. Ze was toen voor het laatst geknuffeld, kon ze zich nog herinneren. Heel dichtbij had haar moeder gevoeld, Nel kon het daar nog weleens over hebben. Met tranen in haar ogen. Knuffelen was daarna niet meer vaak voorgekomen.

De gang naar Katwijk was op een ramp uitgelopen, gonsde het door het Hofkwartier. 'Gelooft u wel', had de rare predikant gevraagd. 'Mijn hele leven, meneer,' had haar moeder gezegd, maar hij had haar doorgehad. Hij had haar bijna naar huis gestuurd, omdat ze met Nel achter zich aan naar voren gedrongen was, om zo dicht mogelijk bij het wonder te kunnen zijn.

Toch was hij zo aardig geweest om aandacht aan haar rug te besteden, niet apart, maar met een groep van zo'n honderd mensen, misschien wel tweehonderd. Alleen de gevallen in rolstoelen kregen een voorkeursbehandeling en de mensen die zoiets verschrikkelijks als kanker dachten te hebben.

Dat van haar moeder was een lichte afwijking, daar kon de zegen van de Katwijkse god best samen met een hoop anderen overheen. Ze moesten allemaal hun ogen stijf dichtdoen, doodstil zijn en de genezing over zich heen laten komen. Nel hoefde er niet bij te zijn, maar ze bleef toch maar bij haar moeder, als een steuntje voor haar. En je kon nooit weten, toch?

Ze waren met de bus teruggegaan, naar Den Haag Centraal. Ze zat naast Nel weggedoken in haar winterjas en had ter hoogte van Wassenaar gefluisterd dat het voelde alsof er een warme hand op haar schouders was komen liggen. Kind, hij heeft me gered denk ik, had ze gezegd. Nel had haar niet helemaal zonder wantrouwen aangekeken, maar het leek erop dat ze het meende, dat er iets was gebeurd.

Zou die god van de protestanten soms meer in zijn mars hebben dan die van de katholieken, had Nel gedacht, omdat Jomanda in haar kerk in Limburg zo'n teleurstelling was geweest. Tot ze samen de bus verlieten was alles goed gegaan. De roltrap van het busstation naar de tram was zoals gewoonlijk stuk. Aan de hand van Nel ging ze er toch vanaf, het kon niet anders, want de gewone trap was te smal. Nel had nog zo gezegd dat ze moest uitkijken, maar ze struikelde. Nel kon haar nog net vasthouden, maar ze viel half op haar rug en riep: 'Jezus nog an toe!' Dat had ze natuurlijk niet moeten zeggen, na haar bezoek aan de god van Katwijk. De warme hand was een flinke blauwe plek geworden.

Niemand mocht erbij zijn, behalve natuurlijk de vaste klanten. Ham had er niets op tegen gehad, genezen gebeurde in zijn land onder het oog van veel mensen en veel goden. Thuis was er voor alles en iedereen wel een god, als een grote familie van Boven die van elkaar hield en die altijd ruzie had om de vraag wie het beste uit de hemel bracht, wie het aardigst was en het meeste wist.

Zijn thuis hier was vlak achter de moskee in de Wagenstraat, waar Ham op een kleine zolderverdieping woonde, samen met twee van zijn neven. En wie er verder maar aanklopte. Ze hadden er met gordijnen drie kamertjes van gemaakt, met drie smalle bedden. Die gordijnen hingen open, en altijd was er de glinstering van de smalle minaret. Als ze gingen slapen of alleen wilden zijn, trokken ze de gordijnen dicht. Van goedkoop zijde waren ze, van de markt, ze glommen als de wikkeldoeken die de meisjes uit zijn dorp om zich heen drapeerden, zodat ze er allemaal als prinsessen uitzagen.

Toen Ham de wonderlijke geschiedenis van de moeder van Nel had gehoord en hij de oude vrouw meer dan eens had zien zuchten en steunen boven een broodje halfom, had hij er niet omheen gedraaid. Ik kan jouw moeder helpen, Nel, had hij gezegd. Ik haal de pijn weg. En op hetzelfde moment had hij met een glimlach zijn eigen grootmoeder teruggezien, in het verre licht achter in zijn hoofd. Van haar had hij niet alleen het geheugen voor oude liedjes, zij had hem ook de kracht van de natuur bijgebracht. Hij kende genoeg plantjes en kruiden en mengsels, die konden helpen. Tegen hoesten en koorts en stramme benen en rugklachten en buikpijn. Ham had bij een Chinese kruidenwinkel in de Wagenstraat rondgeneusd en er tot zijn genoegen de bekende geur van thuis geroken, van de markt in zijn eigen dorp. Hij had de wijsheid van zijn grootmoeder in de uitgestalde kommetjes teruggevonden. Haar hulp was niet uit de lucht gegrepen, vond Ham.

Maandag was de beste dag, vonden Nel en Ham. Dan was de broodjeszaak dicht en waren er nauwelijks pottenkijkers in de straat. Nel had haar moeder met een taxi laten komen. Ze had een dikke fooi gegeven en toen ze binnen waren, had ze de zaak op slot gedaan. Gordijnen waren er niet, maar de vaste klanten, die van de actie van Ham mochten weten, stonden al tegen de deur en het raam en de toonbank aan, dus van buiten was er niks te zien.

Van de kampeerwinkel om de hoek had Nel een luchtbed mogen lenen, en de oranje badhanddoek van haar Sjaak, met die brullende voetballeeuw erop, paste er precies overheen. De stoelen in het achterkamertje waren opzijgeschoven en de enige tafel stond in het midden. Haar moeder was zenuwachtig, maar ze hield wel van aandacht. En daarmee overwon ze haar schaamte voor de vaste klanten en ook voor de kleine Ham.

Ze hoefde alleen haar bloes uit te doen en op haar buik op de leeuw te gaan liggen. Dat laatste kostte haar veel moeite. Maar Nel hielp haar, samen met Ham, die zijn ogen dichthield toen ze haar voorzichtig optilden en neerlegden.

Ze giechelde en ging er zo goed en zo kwaad als het kon even goed voor liggen, met haar grijze haar als een wintermuts over haar hoofd. Wie zijn nek nog niet had uitgestoken deed dat nu. Het gegrinnik hield vanzelf op en het ingehouden proesten verdween toen Ham een plastic tas met drie jampotjes tevoorschijn haalde en hij de stilte kreeg zonder dat hij erom hoefde te vragen.

Ham vroeg aan de moeder van Nel waar de pijn zat en wreef er zachtjes over, bijna zonder haar aan te raken. Op een bord, waarop normaal de broodjes kroket lagen, schudde hij eerst wat groene poeder uit. Toen haalde hij met een koffielepeltje wat zalf uit een andere pot en strooide er weer wat anders uit de derde jampot overheen. Vervolgens husselde hij het geheel behendig door elkaar, met de handen van zijn grootmoeder. Toen legde hij met het lepeltje het medicijn in de palm van zijn rechterhand en bette het voorzichtig op de blote rug van de moeder van

Nel. Heel zachtjes, zoals dat gebeurt op de wangen van een meisje dat te lang in de zon heeft gelegen. Ham deed hetzelfde nog een keer en niemand in de kleine broodjeszaak durfde iets te zeggen, terwijl een grote mond er meestal overheerst.

Nel had zoiets nog nooit meegemaakt. Ze voelde net als iedereen dat het niet om een gekkigheidje ging, dat het geen hocus pocus was. Ze zag dat Ham de drie potjes terugdeed in zijn plastic tas en met een papieren servetje zijn bruine handen schoonveegde. Ze zag voor het eerst dat hij smalle handen had. Ze hoorde dat hij zachtjes tegen haar moeder zei dat het klaar was, dat ze mocht opstaan.

Ze gaf geen antwoord. Het zou toch niet waar zijn dat ze op het witte formica tafeltje, dat Sjaak nog op de kop had getikt, in slaap was gevallen? Haar moeder kon echt nevernooit midden op de dag vanwege haar rug een tuk doen.

Maar ze sliep, ze snurkte zelfs een beetje en de blauwe beha deinde zachtjes mee op haar wonderlijk rustige hartslag. Niemand durfde iets te zeggen. Minutenlang bekeek iedereen de slapende. Met een vertedering die nog nooit de broodjeszaak van Nel had bezocht. Totdat Ham haar heel even aanraakte, haar aaide bijna, als een vlindertje warmte over haar oude rug.

De moeder van Nel draaide zich langzaam op haar zij, rekte zich behaaglijk uit en keek iedereen om haar heen verbaasd aan. En toen ze merkte dat ze zo ongeveer in haar blootje lag, begon ze te hikken van het lachen.

Buitenzorg

Het was bijna halfacht en ze kon niet meer. Maar het was haar gelukt. Ze had zich langzaam uitgekleed en haar nachtjapon aangetrokken, met daaroverheen de oude blauwe kimono met de kleine vuurvogels. Ze had haar tanden gepoetst en niet zonder genoegen gezien dat ze er op twee kiezen na allemaal nog waren.

Ze had haar grijze haar voor de spiegel zorgvuldig gekamd en de paar achtergebleven haren uit de borstel geplukt en in het pedaalemmertje naast de wastafel laten dwarrelen.

Even had ze in haar ogen gekeken. Even zag ze zichzelf. Gelukkig nog niet stokoud, mompelde ze en zonder een spoor van ironie hoorde ze haar eigen stem zeggen: Het is mooi geweest, meisje, het is mooi geweest.

Zij wist niet meer precies wanneer ze het besluit had genomen. Misschien al een jaar geleden, toen ze met haar versleten hart en zonder haar man in deze nagelnieuwe flat boven het postkantoor tegenover de Grote Kerk was komen wonen. Het rook hier nog steeds naar beton, naar nieuwbouw, naar stucwerk en stopverf. Ze had gehoopt op zeewind vanuit Scheveningen. Daarom had ze voor de bovenste etage gekozen, met het kleine balkon op het zuidwesten. Een hoogstenkele keer had ze iets van vroeger gevoeld. Een vleugje maar. En ze schrok met enig plezier van de langsscherende schreeuwende meeuwen. Maar het balkonnetje was wel erg klein en hoog en ze durfde er na een paar weken niet goed meer op. Dan maar geen zeewind.

Menorca was er niet mee teruggekomen. Dat eiland had in elk geval nog iets van de wind van Java gehad, iets van de avonden van Indië, van Djokja, van Bandoeng. Menorca had haar vrede gegeven, omdat ze in haar hart nooit afscheid hoefde te nemen van de zachte tropenjaren, van haar jeugd in Buitenzorg, van de traagheid der dingen, van veel stilte en weinig woorden.

Ze hadden op Menorca samen bijna twintig jaar op een Spaanse heuvel gewoond, met in de verte de Middellandse Zee. Paul Cézanne had op Menorca kunnen schilderen, had ze in het begin gemompeld, zonder van iemand een reactie te krijgen, laat staan bijval.

Ze hadden met z'n tweeën niet veel omhanden gehad, maar het was voldoende. De boodschappen, het eten, de tuin, heel af en toe de jongste zoon te logeren, de laatste tijd met zijn vrouw en hun kleinkinderen, een paar trouwe vrienden en buren. En haar brieven, natuurlijk haar brieven.

In haar brieven was ze thuis, in haar brieven kon ze onder woorden brengen wat ze in het dagelijkse leven niet goed had kunnen zeggen. Niemand om haar heen had zo'n levendige herinnering, niemand kende de details, de bijkomstigheden, de achtergronden zo goed, niemand kon zoals zij transparant de tijd terugdraaien en opnieuw beschrijven, zodat de werkelijkheid in haar hoofd terugkeerde en in haar pen. Daar was ze uiteindelijk van overtuigd geweest. Dat was een prettig houvast. Dat was het wolkje, het sliertje trots in de kleinst denkbare besloten kring. Met zichzelf en niet meer dan een paar trouwe lezers en terugschrijvers, een of twee vriendinnen.

God, wat was het een genoegen, brieven schrijven, enveloppen met je tong voorzichtig dichtplakken en ze dan versturen. Een bekende naam en een adres en een postzegel. De wandeling naar de brievenbus. Naar binnen gluren door de opengeduwde klep om te zien of de brief goed terechtgekomen was en er mooi bijlag tussen de andere. En altijd uitkijken naar de postbode. Hoewel, onbeantwoord had ze nooit erg gevonden. Als ze maar gelezen waren, opgemerkt, opengemaakt. Meer niet.

Maar ook dat was voorbij.

Het was misschien wel haar enige passie geweest, haar legitimatie. Ze had nog weleens haar eigen pen geprobeerd, hier in Den Haag, op haar oude postpapier, maar duim en wijsvinger deden het nauwelijks meer, het ging niet, en zodoende stokte ook het genoegen van schrijven. Bovendien bleef er weinig te herinneren en te fantaseren over, er was nauwelijks iets bijgekomen, dus de zin ontbrak, viel weg, loste op. Wat overbleef waren tientallen dozen met oude brieven, gerangschikt op een onvoltooide verleden tijd. Ze had er met weemoed en zonder haast een bundeltje witte raven uit geplukt.

De rest ging mee met de vuilnisman.

Toen haar man op Menorca de eerste verschijnselen van dementie vertoonde, had ze hem met alle liefde opgevangen. Het proces was sneller gegaan dan ze had gedacht. Eerst waren er wat woorden zoek, toen de namen en de vaste plekken en het houvast, toen kwamen de nachten van natte pyjama's en de avonden van weggesmeten oude wijnglazen, toen de angst en verwarring, het leger onder zijn bed en zijn tierende vader in de badkamer. En toen kwam de mist en werd zij de vreemde vrouw die hij afweerde en weigerde te kennen.

Alleen achterblijven op Menorca, ze had het graag gewild, maar het kon niet. Haar hart raakte snel na zijn dood zo versleten dat ze niet meer vooruitkwam, altijd een tekort aan lucht had, vaak midden in de nacht ademnood kreeg en bang was dat niemand haar zou horen als ze dood zou gaan. Dat vooral, de angst dat ze na dagen pas gevonden zou worden. Het ging haar niet om alleen zijn. Dat vond ze al lang een weelde, omdat de natuur altijd en zeker in de wintermaanden op Menorca haar metgezel was geweest, voor de stille dagen.

Ze had de dagen in Den Haag met moeite versleten. Ze had gehoopt op een vleug Indië, al wist ze dat het een illusie was, een fantoom. Zeker toen het minder ging met haar lichaam en het een last begon te worden. Haar hart kromp met de dag. Het kleine, simpele geluk van lezend de dagen door te komen verdween, toen haar ogen minder werden en haar bril zwaarder en uiteindelijk alles om haar heen bijna helemaal grijs werd.

Uiteindelijk moest ze ook Maria Dermoût en Hella

Haasse terzijde leggen. Het waren metgezellen door de jaren heen. De enige die binnen handbereik aan haar zijde bleef, als een minnaar van geschept papier, was de dichter Leopold. Hij was de held van haar vader geweest, in zijn jonge jaren. Hij las ze haar voor, de gedichten van Cheops, telkens weer. Ze wist nog van de weemoed van toen in zijn stem.

Leopold was met haar meegegaan.

Ze had zijn bundels nauwelijks meer nodig. Ze kende zijn gedichten uit haar hoofd en uit haar hart, al was het vandaag – in dit allerlaatste uur – telkens zoeken. Hoe was het ook alweer? Hoe ging het, o ja, o ja, vier regels maar, vier zinnen:

O, als ik dood zal, dood zal zijn
kom dan en fluister, fluister iets liefs,
mijn bleeke oogen zal ik opslaan
en ik zal niet verwonderd zijn.

Ze wist het. De enige net nog voelbare opklaring kwam van tranen van vroeger, die als de milde regen in Indische tuinen tot op de dag van vandaag onverwacht over haar wangen stroomden, als vanzelf, als uit een nog steeds niet te stelpen bron, de enige bron, de onverwoestbare, onbegrepen en onbekende bron.

De nachten waren lang geworden toen het licht van haar herinneringen begon te doven, toen gezichten en stemmen en beelden begonnen te vervagen. Ze kreeg haar film niet meer op scherp. Alles stokte, als in een versleten projector. En onherroepelijk was de eenzaamheid komen opdagen en die had het laatste beetje geluk van het korte maar hevige verlangen naar vroeger weggevaagd. Haar hart was gebroken, in beide kamers. Het raakte bekneld en verlaten.

Ze hoorde het 's nachts in haar oren bonken, als de zware schoenen van een verhuizer op een kale houten vloer.

Mijn hart is leeg, dacht ze op een morgen, nadat ze uren tegen het wakker blijven gevochten had, maar er geen slaap meer kwam.

De ondraaglijke pijn in haar hoofd begon zomaar van de ene op de andere minuut. Ze stond op een doordeweekse middag voor het raam en keek naar de nieuwe buurman aan de overkant, een oudere, stramme meneer die zich net als zij kennelijk opgesloten voelde in zijn appartement. Dat zag je meteen en ze had nog gedacht: Die komt van buiten, van de open velden, die hoort hier niet, net als ik.

De pijn was meteen zo erg dat ze hem niet meer zag. Ze kreeg bijna geen adem meer. Ook dat nog, riep ze tegen niemand. Mijn kop weg. Mijn geest weg. Mijn hart leeg. Mijn fantasie, al mijn dagdromen. En daarna, na een spoedopname in het ziekenhuis, vervaagde met het uur het laatste uitzicht. Het was verschrikkelijk, er was geen verbeelding meer, niet terug naar toen, niet meer vooruit, niet meer van het ogenblik.

Alleen het leeggehaalde heden.

En toen, toen was het besluit door het open raam binnengekomen en op de rand van haar bed komen zitten. Als een opluchting.

'Jullie mogen best komen, jongens,' riep ze zachtjes, toen ze voorzichtig in bed was gaan liggen, met haar smalle handen boven de sprei. En daar waren ze, bedremmeld als twee kinderen. De oudste over de zestig en de jongste ook al de vijftig gepasseerd. Ze hadden tot een uur geleden nog met z'n drieën naar de finale van Wimbledon gekeken, in de zitkamer, en het was ouderwets spannend geweest. Ze hadden af en toe krampachtig nog wat grapjes gemaakt, maar verder hadden ze niet veel gezegd, want wat viel er nog te zeggen. Ze merkte dat ze er onwennig bijzaten. Ze hielden zich groot.

Met haar oudste zoon had ze bijna al het contact verloren. Hij was altijd een eigenheimer geweest. Vroeg de deur uit, snel getrouwd, nooit op Menorca geweest, alleen toen zijn vader al zo goed als dood was en hij hem nog een keer wilde zien. Het was te laat geweest. Ze hadden elkaar niet herkend. De vader had meneer tegen zijn zoon gezegd en de zoon begreep niet wie hij voor zich had. Verdriet had ze niet gezien, wel verbazing en ergernis omdat hij de hele reis uit Australië dus voor niets had gemaakt.

De jongste zoon kwam ieder jaar naar Menorca, meestal met zijn vrouw en zijn vier kinderen. Ze sliepen in een naburig hotel, want de hele dag kleinkinderen om haar heen, dat was haar te veel. De jongste zoon was het meest van haar. Ze herkende zichzelf in hem. Hij had haar hier in Den Haag bezocht. Hij had haar gevraagd of hij de brieven mocht hebben, met aanzetten van de verhalen die ze ooit had willen schrijven en die ze niet had durven voltooien, omdat niemand haar stimuleerde, niemand toen, op haar eerste heuvels met uitzicht, belangstelling had getoond voor de kwetsbare eerste ontdekkingen van de verbeelding. Behalve haar vader.

'Kom maar zitten,' zei ze, 'ieder aan één kant van het bed.'

Zij boog zich naar hen toe en kuste hen een voor een op het voorhoofd, en ze fluisterde ieder van hen iets toe, onverstaanbaar voor de ander.

Ze veegde de tranen van de wangen van de jongste.

'Gaan jullie maar,' zei ze toen, 'gaan jullie maar, het is bijna acht uur.'

'Dag jongens,' zei ze, 'dag jongens.'

De jongens lieten haar eigen dokter binnen, samen met een onbekende jonge arts. Hij was de medische getuige. 'Het duurt niet lang, hoor,' zei hij troostend en onhandig toen hij zijn tas neerzette en de deur van de slaapkamer dichtdeed. En toen zei ze het voor de laatste keer: 'Ja dokter, dat is wat ik wil.'

En toen haar zonen haar nauwelijks vijf minuten later weer mochten zien, was zij er niet meer. Zomaar ineens. Ze lag er vredig bij, met een glimlach die al een beetje versteend was. Ze was weg, dat zag je, ze was helemaal weg. Voorgoed.

De oudste keek alleen maar naar zijn schoenen, alsof de dood lastig was en zonde van de tijd. Hij bleef niet meer dan een minuut bij de deur staan, draaide zich om en verliet op zijn tenen de kamer, om niemand te storen.

Hij had er vrede mee. Hij moest wel.

De jongste zoon aarzelde en liep toen naar het bed toe. Hij wilde zijn moeder nog even over haar gezicht aaien, haar zachtjes strelen, maar hij deed het niet, hij kon het niet. Ook bij hem trok de kleur uit zijn wangen. Ze leken op elkaar, moeder en zoon, ze waren allebei lijkbleek.

Toen de deur achter zijn broer bijna geluidloos dichtviel, begon hij zijn moeder plotseling door elkaar te schudden. Alsof hij het leven in haar terug wilde halen, blos op haar wangen en licht in haar ogen. Alsof hij het niet geloofde, alsof hij bedrogen was en in de steek gelaten. En hij riep, stotterend van verdriet: 'Waarom doe je dit in godsnaam, waarom heb je het gedaan?'

Hij viel huilend over haar heen, schrok van zichzelf en van zijn woede en zag toen pas dat er onder de sprei met leliemotieven aan het eind van haar lange, magere armen een witte envelop lag, weggegleden uit haar handen. Zijn naam stond erop en verder niet meer dan vijf woorden, in haar nog altijd sierlijke maar ontspoorde en omgevallen handschrift: niemand laten lezen, lieverd, niemand.

Geestgronden

Er was uiteindelijk weinig voor nodig geweest om mijn vader aan het huilen te krijgen. Twee keer had hij de naam van mijn moeder genoemd, Trees, en alle grimmigheid was van zijn gezicht gegleden, als gruis. En alle fletse droogte uit zijn ogen verdwenen. 'Het is om Trees,' had hij haast onverstaanbaar gezegd, bijna binnensmonds, en toen waren de tranen gekomen. Ze biggelden over zijn magere wangen, zonder houvast. Voortdurend wreef hij ze met de verweerde knokkels van zijn rechterhand weg, als lastige vliegjes.

Huilde hij, mijn vader? Terwijl verdriet een vreemd woord was geworden. Net zoals vreugde trouwens. Lachen deed hij niet meer sinds de dood van mijn moeder. En nu hij dan volgens Masja weer naar haar toe ging, ergens aan de veilige, lichte overkant van het leven, nu zouden ze elkaar volgens Masja wel weer omhelzen. Masja geloofde dat. Mijn Poolse Masja.

Ik keek onwennig naar mijn vader, bijna alsof het iemand anders was. Ik had hem nooit meer kunnen betrappen op ook maar een enkele traan, laat staan op een glimlach of op de eeuwige grijns die zijn verweerde gezicht gevormd had.

Het was mooi geweest, had hij op haar begrafenis gezegd. Dat waren zijn enige woorden, terloops, bijna binnensmonds. Sindsdien was zij weg voor hem, verdwenen. Iedereen aan haar graf had hem willen troosten en willen bijstaan, onder de druipende oude beuken op die dag in november, even buiten Lisse. Maar dat wilde hij niet. Hij zat op slot sinds het moment dat ze zijn hand had losgelaten en voorgoed was weggegleden, met een glimlach om haar ingevallen mond.

Mijn vader had zijn hart dichtgesnoerd onder zijn lange zwarte jas. Hij had nooit meer haar naam genoemd, het nooit meer over haar gehad, met geen enkele verwijzing. Weg was mijn moeder, en het enige wat mijn vader op de avond na de begrafenis tegen mij had gezegd, was dit: 'Ik wil het niet meer over haar hebben. Je moeder is weg, jongen. Ze is voorbij. Het is over en uit.' Mijn tranen zag hij niet. Mijn verdriet ketste op hem af. Ik kreeg het niet voor elkaar hem te omhelzen, hem te troosten of bij te staan. Hij was van steen geworden, ook voor mij. Alles was ineens weg. Ook de paar vaste en vertrouwde woorden van hem. 'Zo jongen' en 'Dag jongen' en 'Goed geslapen, jongen?' En 'Wat een mooie dag. Godallemachtig'. Het was zijn stopwoordje: Godallemachtig.

Hij had het huis, waarin alles in zijn leven gebeurd was, waar hij was opgegroeid en getrouwd, waar ik ben geboren, waar zijn handel groot is geworden, hij had ons huis te koop gezet. Hij wilde er niet meer wonen, zei hij, het was van haar geweest, van hen samen. 'Van jou,' had hij niet gezegd, terwijl ik er toch ook was opgegroeid, als enige zoon. Ik was hem gesmeerd naar Leiden in plaats van naar Wageningen. Ik hield volgens hem niet van bollen, van bloemen, van zijn handel. Ik was geen bollenboer. Ik was altijd al een bolleboos geweest. Ik moest zo nodig dokter worden.

Zo was het. Hij had het huis verkocht en het bedrijf aan zijn tweelingbroer overgedragen, aan oom Jan, zonder een woord van afscheid. Wat hij met al het geld had gedaan, had hij me niet verteld. 'Jij komt wel rond,' zei hij alleen maar toen ik er terloops naar vroeg. 'Jij redt het wel.'

Hij kocht een flat in het hart van Den Haag, terwijl hij vroeger nooit van z'n leven naar de stad wilde. Hij ging op de hoek van de Annastraat wonen, bij de Grote Kerk, op de bovenste etage. Hij richtte de lichte, moderne flat in met nieuwe meubels, als een toonzaal. Niets van ons thuis nam hij mee, niets van toen, zelfs geen schilderij.

Hij liet de hele boel door een opkoper ophalen toen ik een maand na mijn moeders dood met vrienden in Spanje was. Alles, behalve de spullen van mijn kamer. Ik kwam terug in een onttakeld huis, met witte plekken op het behang en vergeelde stukken vloer waar vroeger tapijten lagen. Op mijn kamer stonden dozen met mijn boeken en mijn speelgoed. Hij had de twee affiches van The Stones laten hangen net als het kleine schilderij van het tulpenveld, dat nog van mijn grootvader is geweest en dat ik nog steeds mooi vind, vanwege het strijklicht.

Wat was het toch? Was zijn verdriet zo zwaar dat hij het niet kon tillen? Was haar dood zo meedogenloos onverwacht gekomen, dat hij haar wegvaagde op het moment dat zij gestorven was, nu al bijna vier jaar geleden? Was het zelfbescherming geweest om door te kunnen leven? Was het onwil om te aanvaarden dat ze er nooit meer zou zijn, zachtjes zingend in het dampende avondlicht boven haar fornuis in de keuken?

Al die bonkende vragen in mijn hoofd hadden geen zin gehad, want alle toenadering was tevergeefs geweest, van mij en van alle anderen. Iedereen die hem kende en met wie hij een band had gehad, zelfs vriendschap, had hij buitengesloten. En mijn moeder bestond voor hem niet meer. Het had geen zin daar tegen in opstand te komen.

Vanaf de allereerste minuut na de begrafenis had hij – razendsnel – de muur opgetrokken. Uit onzichtbaar beton. Zelfs zijn streng gereformeerde God wees hij zonder er een woord aan vuil te maken de deur. En daarmee de oude dominee, die er niets van begreep, maar zich wijselijk stilhield, tot op de dag van vandaag. Uit respect? Of was de man beledigd? En ik was er toch nog, zijn zoon?

Een van de laatste middagen waarop ik me haar helder voor de geest kan halen was toen ze met mij het land is opgelopen tussen de lege tulpenvelden door, die uitgestrekt tot tegen de duinen aan lagen, in strakke ietwat wuivende vierkanten. Ze hield van het open land, waar de zeewind altijd was. Ze hield van de geestgronden met de grote boerenschuren en uitgestrekte landerijen, met de vaarten en sloten, als strakgespannen, glinsterende linten. Ze hield van de grote hoeveelheid lucht boven ons, tot aan de smalle einders. Ze hield van de meeuwen en de reigers en de kieviten en de herrieschoppende scholeksters.

Al zolang ik me kan herinneren deden we dat, die wandelingen, in alle seizoenen, door alle jaren heen. Tussen de bedrijven door, in de stille uren. Soms, een enkele keer, haalde ze me stilletjes uit bed als mijn vader nog sliep of al voor zonsopgang naar de veiling was, samen met zijn broer. Dan deed ze me mijn sloffen aan en een dikke trui en gingen we naar buiten, het land op, naar de sterren of naar de morgendauw. Ik weet nog hoe ze me droeg en me fluisterend liet zien hoe ongeschonden mooi het landschap net achter de duinen is, als iedereen nog slaapt.

Ze leerde me van de uitgestrektheid houden en de openheid, van de geur van de schemering en van de dageraad. Ze wees me op het oneindige dak van de hemel. Het gaf haar een veilig gevoel, zei ze. We liepen soms tot aan ons middel door de lage mistnevels. Zweven noemde ze het. We zweven, jongen. Soms hing de volle maan boven de wenkende narcissen, alsof ze bijna verlicht waren en soms liet ze me de dauw zien op de dichtgevouwen tulpen; dan mocht ik er even aan voelen en zei ze dat het net tranen waren.

Toen ik op de middelbare school zat, liet ze me op een vroege morgen bij de eerste bloei van de hyacinten opgewekt weten dat haar naam niet zo saai was, maar eigenlijk weids. 'Tries,' zei ze, 'Trees in het Engels is Tríés. Ik heet bomen,' zei ze, 'ik heb bladeren en takken, ik ben van het land.' Daar moest ik om lachen omdat ik het me zo goed kon voorstellen. En dan stond ze daar in haar landerijen als een bloeiende appelboom. Altijd weer, door al haar uren heen.

Die laatste keer hield zij mijn hand weer vast, net als vroeger. Het was begin oktober. Het was aangenaam buiten.

'Het tintelt al,' zei ze. Er hing een brandlucht boven de velden en de akkers. En het lage strijklicht was helderder dan ooit. Ik wist toen niet dat ze ziek was, dat wist zij zelf misschien niet eens. Ze was grijs geworden. Ze zei nauwelijks iets. Dat was niet nodig. We hadden genoeg aan het wandelen, aan de stilte op de rand van de schemering. Ze vroeg alleen maar: 'Gaat het goed me je? En gaat het goed met Masja?' Ze zei hoe aardig ze haar vond, mijn meisje uit Polen, en hoe mooi ze was. Vooral haar ogen, het waren haar ogen. Ze liet mijn hand niet los. Ze wees met haar andere hand naar een vlucht ganzen die in een lange V overvlogen. Ze wieken, hoor je dat, ze wieken. Niet klapwieken, maar wieken. We keken ze na tot we ze uit het oog waren verloren.

Mijn vader hield voor het eerst sinds jaren mijn hand weer vast. Hij hoestte en had een droge keel. Hij had gebrek aan adem en klonk schor. Ik zag het, kende de ziekte en wist hoe het ongeveer zou gaan, hoe zwaar het was en zonder uitzicht. Ik moest aan Masja denken. Ze wilde er niet bij zijn. Het was iets voor mij alleen. Ik moest er voor hem zijn, vond ze, want hij had zichzelf voorgoed verstopt. Voor iedereen.

Weet je wat ze had gezegd, mijn Masja. 'Je vader heeft zichzelf een das omgedaan, zo zeggen jullie het toch?' Ik had erom gelachen. Hij wees haar niet af, toen ik met haar thuiskwam, de eerste keer. Hij keek er ook niet vreemd van op dat ze uit Polen kwam, uit Krakau. Hij had in zijn leven heel wat Polen als seizoenwerkers gehad. Ook vrouwen. Dat Masja zo goed Nederlands sprak verbaasde hem wel. En dat ze sigaren voor hem meebracht, vond hij aardig.

Toen ze nog leefde, mijn moeder, ging het goed met ons vieren. Op de zondagen dat we er waren, en soms op een onverwacht vrije avond door de week.

Masja heeft wel geprobeerd dichter bij hem te komen. Ze deed dat heel behoedzaam. Maar het lukte nauwelijks. Hij wilde alleen zijn. Hij is eenzaam, zei ze, en dat was hij. Ze had er verdriet van, Masja. Hij had een muur van stilte om zich heen opgetrokken. En daar kwam niemand doorheen.

Het laatste woord van zijn tegenwoordige tijd moest er nog uit, dat zag ik, en dan begon zijn verleden, onherroepelijk. Ik kon hem nauwelijks verstaan. Ik moest me vooroverbuigen en mijn hoofd bijna tegen zijn gezicht aan leggen. Zijn wangen waren ondanks alle rimpels en groeven nog opmerkelijk zacht.

Wat hij zei klonk verward, met horten en stoten, in zinnen en woorden die hij bijeen moest rapen en die vol vraagtekens waren:

'Ik heb haar toch niets misdaan?

Ik heb haar toch nooit tegengewerkt?

Ze was toch de enige voor mij?

Ik kende geen andere vrouwen.

Geen denken aan, waarom zou ik?

Ik had je moeder toch?

We waren toch met elkaar getrouwd?

We hadden elkaar toch alles beloofd?

Niet dan?'

Hij viel stil, mijn vader, doodstil. Zijn stem stokte tegen mijn wang. Ik had mijn arm over zijn schouders gelegd. Nooit hadden we zo dicht tegen elkaar aan gelegen. Toch voelde het als vanzelfsprekend. Hij draaide zijn hoofd naar me toe, keek me aan met zijn betraande ogen en toen kwam het:

'Vlak voor ze stierf, zei ze het me.

Ik moet je nog wat vertellen, Gerrit.

Het is niets bijzonders hoor, zei ze.

Het was een bevlieging.

En het is al zo lang geleden.

Het was maar een keertje hoor, zei ze.'

Hij wendde zich van me af, mijn vader en hij trok zijn hand terug, tot ver onder het lichtblauwe dekbed. Hij keerde zich niet alleen van mij af, maar van het leven, van de herinnering, van zijn tijd, van Trees, van mijn moeder. En terwijl hij wegzakte in zijn kussen en zijn hoofd knakte als een grijze tulp, kwam de laatste zin, alsof hij de woorden voor altijd wegblies, een voor een: 'Waarom heeft je moeder haar mond niet gehouden? Godallemachtig.'

Eerste luier

Alles is onbetrouwbaar. Ik zit eindelijk op de wc in de trein en ik kan mijn kont niet keren. Het stinkt hier naar pis. Het gat naar de voorbijrazende rails is een open riool. De bril heb ik met de laatste stukken papier schoongemaakt. Ik zit op mijn eigen krant. Het is hier de treurigste plek op aarde, vlak naast de eerste klas. Hoe moet dat met mijn eerste luier? Ik kan geen kant op. Op z'n kant past de koffer net op het verstopte gootsteentje, want het woord 'wastafel' is flink overdreven.

Het moet lukken. Rits van de koffer open naar twee kanten lukt ook. Luier eruit wurmen. Jezusmina. De trein wiebelt. Niet vloeken, man. Mijn broek moet uit, tot op mijn knieën. Onderbroek omlaag. Wat een treurigheid tussen die magere benen. Dat heeft er weleens prettiger uitgezien. Gauw wegstoppen maar, luier erin, snel die onderbroek omhoog en de broek. Er zit een bobbel achter mijn gulp. De luier zit niet goed. Het kan niet. Dat zien ze. Het zal toch niet waar zijn. Ik moet weer, het druppelt gewoon weg, ik krijg de kraan tussen mijn benen niet dicht. Jezusmina nog an toe.

Ik geloof dat de luier werkt. Ik loop niet meteen leeg. Ik lek niet door. De krant onder mijn billen is droog gebleven, zie ik. De mooie grote droevige foto van Hans van

Mierlo ook. Jammer genoeg is hij gestorven. Was ik het maar. In het geniep luiers kopen in Gouda, om in Den Haag maar ongezien te blijven. Wat een ellende. Wat een stuk ongeluk zit hier met zichzelf opgesloten. Wat een zielenpoot. Wat een pleefiguur.

Ik ga hier voorlopig niet weg.

Ik denk er niet aan. Iedereen kijkt me straks na alsof ik explosieven in mijn koffer heb. Ik zal het zelf wel oproepen. Wantrouwig om me heen kijken is mijn tweede natuur geworden. Altijd, al meer dan een jaar, zoeken naar een heimelijke plek om te plassen. Achter bomen, in steegjes, achter glasbakken bij de supermarkt, razendsnel tussen geparkeerde auto's in, waarbij ik doe alsof ik mijn sleutels kwijt ben. En maar tersluiks naar beneden kijken of mijn kruis al nat is, of er een plek is die iedereen kan zien.

Ik draag alleen nog maar donkere broeken. Iets te wijd, zodat ik ze snel kan laten zakken. Ik ben inmiddels de meest gewiekste wildplasser van de stad. Nooit gesnapt of een bon aan m'n broek. Er is geen grotere opluchting dan mijn voordeur via de smalle trap naar boven in de Papestraat te halen, de sleutel in het slot te krijgen en struikelend over mijn eigen benen, mijn gulp los te ritsen en mijn last eruit te wurmen en te zuchten van verlichting boven de bril. Soms tegelijk met tranen over mijn wangen.

De conducteur zit in de eerste klas te puzzelen zag ik, dus het kan nog wel even. Broek maar weer omlaag en uit die handel, en de natte luier tussen mijn benen door via de gore uitlaat de wijde wereld in. Ik geloof niet in wassen voor een tweede gebruik en kijk de vochtige prop na. Hij blijft even steken, zodat ik hem met mijn wijsvinger snel een duwtje geef.

De kwieke man van de Trekpleister stalde vanmorgen drie soorten mannenluiertjes ongegeneerd voor mij uit op de toonbank. Ja, hij zei nadrukkelijk 'lúíertjes'. Met een drogistenpraatje erbij van voor de oorlog.

'Deze vangt het meeste op, meneer.'

'Bij deze houdt u het lang droog.'

'En bij deze zit hij gemakkelijk in de onderbroek.'

Hij kwetterde maar door. 'Deze vooral', en hij wees naar een lichtblauw exemplaar in het midden, 'deze biedt de hele dag comfort, droogheid en zekerheid. En hij blijft dankzij de plakstrip altijd op de juiste plaats in het ondergoed zitten. U kunt zonder zorgen de hele dag doorgaan met uw werk. En niemand in uw omgeving ruikt iets. En hij is wasbaar, dus goed voor een tweede gebruik.'

Wasbaar? Voor een tweede gebruik?

Toen kwam hij ook nog met iets nieuws, up-to-date meneer. 'Echt iets voor u, lijkt me zo. Under Wunder. Een Onder Wonder.' Wat zei hij nou ook alweer? Het lijkt gewoon ondergoed, maar het geheim zit hem in het speciaal ingenaaide absorptiekruis. Het kruis is voorzien van een viertal 'onzichtbare' absorptielagen voor de lichte tot matige plasongelukjes.

Hij kende de reclame uit zijn hoofd, want hij zei het echt: lichte tot matige plasongelukjes. 'En u hoeft niet langer bang te zijn voor onaangename geurtjes, want ook die worden door de absorptielaag in het kruisje vastgehouden en dat geeft u net dat beetje extra zekerheid.'

Je gelooft je ogen toch niet.

Toen ik met een plastic tas met mijn eigen eerste keuze vertrok, zei hij nog bij het afrekenen: 'Wist u overigens dat er zwemluiers voor op het strand bestaan?'

Zag ik nou iets van medelijden in zijn ogen of vooral een vlaagje ondeugend leedvermaak?

Ik wacht maar met een nieuwe luier. Even dimmen, zeggen ze tegenwoordig. Mijn blaas is leeg. De drup is er niet. Als ik mijn neus dichtknijp en mijn ogen sluit zit ik op mijn gemak.

Hè, hè.

Zou iemand mij in Gouda gezien hebben? Ik heb het omzichtig gedaan. Uitgekiend. En ze kennen het verhaal niet van de stille Haagse weduwnaar. Van de grijze man die tot zijn grote verdriet zijn vrouw nog geen jaar geleden van het ene moment op het andere verloor aan een hartstilstand. Het gebeurde op een zaterdagmorgen toen zij in de Molenstraat in haar portemonnee zocht naar een eurootje voor de orgeldraaier. Omdat ze de muziek zo mooi vond, die iedere zaterdag tegen de gevels en puien van het Hofkwartier weerkaatste en zorgde voor vrolijkheid van vroeger, van lang geleden. Kippenvel kreeg ze er van. Net als bij de deuntjes die de Poolse straatmuzikant – altijd in kleermakerszit op de stoep – uit zijn trekharmonica haalde. Deuntjes van heimwee. Het zwiert, mijmerde ze dan, met haar zachtjes meedeinende armen, als een oud meisje.

Het straatorgel speelde 'Ik hou van Holland' toen zij in elkaar zakte, tegen het oude trekpaard aan. De kleine orgeldraaier verloor van schrik zijn centenbak en alle muntjes vielen over haar heen. Als koperen knoopjes op haar appelgroene mantelpak. Toen al, een jaar geleden, speelde zijn blaas steeds meer op. Toen al kon hij het bijna niet meer ophouden en had hij totaal verstijfd met zijn benen over elkaar geknepen in de ambulance gezeten, naast de sussende eerstehulpverlener. Terwijl een verpleger achterin verwoed zijn vrouw probeerde te reanimeren onder loeiende sirenes op weg naar het Westeinde Ziekenhuis.

Hij had het maar net op kunnen houden en nadat de reanimatie tevergeefs was gebleken, had hij zich op het toilet kunnen terugtrekken. Niemand had de smalle natte baan in zijn broek gezien, die van zijn kruis tot op zijn schoenen liep. Niemand zag de stroom tranen die over zijn wangen liep en niet te stelpen was. Niemand in het ziekenhuis had erop gelet toen een verpleger een arm om hem heen legde en hem fluisterend naar de kamer bracht, waar zijn vrouw in haar laatste glimlach gestorven lag. Ze hadden hem een moment alleen gelaten. Hij was met zijn natte broek op de rand van haar bed gaan zitten en had haar koude wangen gestreeld en gefluisterd hoe vol en mooi haar voor altijd ingeslapen krullen nog waren.

Hoelang hij toen om haar had zitten huilen, wist hij niet meer. Want verder was het die morgen en later om hem heen een lange waas geweest, zonder lucht en geluid.

Toen, niet lang daarna, was het met de hinder begonnen. Alsof met het gemis ook zijn steun en toeverlaat was weggevallen. Zij was de afleiding geweest. Zij had hem op de been gehouden. Altijd dicht bij haar in de buurt kon hij het goed inhouden. In hun dagelijkse gang benutte hij de pauzes van kleine gewoonten. Zoals de vertrouwde gong van het journaal om acht uur 's morgens. En het geklepper beneden van de brievenbus tegen zes uur met de avondkrant. De ingehouden haast van hoge nood hoorde erbij. Hij kon even weg. Ongemerkt, dacht hij.

Het missen, het alleen voelen, het was er haast bij ingeschoten. Tijd voor rouw glipte hem door de vingers. Hij vocht zo tegen de angst van moeten plassen, dat zijn verdriet te weinig ruimte kreeg voor tranen en tussen zijn ogen opdroogde. Zoals de onderbroeken die hijzelf was gaan wassen en aan een lijn hing in de kleine gang, omdat hij ze niet meer aan de wasserij durfde toe te vertrouwen. Ze zouden het vast merken. Ze zouden het ruiken. Ze zouden denken: Alweer een zak vol.

Godzijdank heeft ze niet geweten dat ik me tijdens haar crematie op Oud Eik en Duinen ook heb moeten zitten knijpen en na afloop met een buigende verontschuldiging weer meteen naar de H van Heren zocht, naar het bordje TOILETTEN dat naar om de hoek wees, waar ik bijna struikelend de deur vond met het mannetje erop. Ze heeft me later gelukkig niet zien surfen langs duizenden verwijzingen naar plasklachten en prostaatellende. Naar internetforums vol gedeeld leed, dat mannen ongezien met elkaar uitwisselen. Blaaskaken, dacht ik toen, zonder aan de woordspeling te denken. Honderden zeurend over het scherm. Er moesten er duizenden zijn zoals ik. Legers in donkere broeken. Ik had er snel genoeg van. Het loste niks op.

Ik wilde er niets van weten, maar ik had het niet in de hand en speurde toch nog even op mijn laptop wat er allemaal nog meer met me zou kunnen gebeuren. Bang en nieuwsgierig tegelijk. Mijn kans op kanker. Met plaatjes en grafieken erbij. Alles in mijn hoofd begon te bonzen. Wegwezen.

Zij was er gelukkig niet bij toen ik op weg naar het ziekenhuis voor de ingang rechtsomkeert maakte, omdat ik nu eenmaal bang ben voor dokters, zeker als ze van die enge dingen willen doen met een te grote prostaat.

Als jongen was ik al doodsbenauwd voor alles wat met dokters en ziekenhuizen te maken had. Mijn vader had dat ook. Aan mijn lijf geen polonaise, was zijn vaste dooddoener. En zowat iedereen in mijn familie vindt dat ik op mijn vader lijk. Nu zeker.

Ik ben een binnenvetter. Mijn verhaal komt niet verder dan mijn eigen hoofd. Gelukkig heeft zij niet gezien dat ik bij de drogist – 'voor mijn zieke broer' – pilletjes tegen plasproblemen kocht en niet kon slapen uit vrees voor eeuwige incontinentie. Hoe ik mijn noodgang door de stad uitstippelde van plasplek naar plashoek. En bij de huisarts foldertjes meenam over de omvang van prostaten en luiers voor mannen.

Omdat het zonder haar stem stiller was geworden in huis, ben ik met een paar vertrouwde woorden tegen haar blijven praten. Of eigenlijk fluisteren. Om mijn schaamte te bezweren. Of zoiets. Mijn huiver.

Wat denk je ervan, kind?

Vind je het goed?

Hoe zou jij het doen?

Toen kwam mijn besluit: luiers dan maar, liever dan dokters. Maar niet van de drogist om de hoek. Stel je voor dat iemand mij daar zoiets zag kopen. Dus toen ik op de

grens van een nacht ongedurig op het eerste licht van de
dageraad lag te wachten, tussen de kieren door van slor-
dig dichtgetrokken gordijnen, kwam ik op het idee van
Gouda. Ik was er jarenlang met de trein op weg naar
Utrecht gestopt maar er nooit uitgestapt. Het was een
vreemde stad voor mij. Als Goes of als Geleen.

Ik heb een kaart van Gouda gekocht en op internet
naar drogisterijen gezocht. Met een rode stift heb ik met
puntjes aangegeven waar het Kruidvat was en de Trekpleister en de Etos. Ik heb een lijn getrokken van het station naar de Markt in de binnenstad. Voor het eerst van
mijn leven heb ik een hoed gekocht, in een opwelling. Ik
werd iemand anders. Ze zouden me nergens herkennen.

Ik ben op een doordeweekse morgen op proef gegaan.
Op een uitgestippelde route die niet rechtstreeks was,
maar kronkelde als een omweggetje. Bij de Kattensingel
had ik het gevoel in de tijd terug te wandelen. Ik liep van
de Zeugstraat naar de Stoofsteeg, door de Vrouwenpoort
en langs de Karnemelksloot en ik belandde vlak voor de
Markt zowaar in een steeg die het Paradijs heette.

Hoe hadden mannen dat vroeger gedaan met hun
knappende blazen?

Hoe oud waren luiers eigenlijk?

Droegen ze die dingen al in de middeleeuwen in de
Stoofsteeg?

Of was het toen gewoon overal vrij plassen?

Ik heb mijn stille omgang drie keer gelopen en op
mijn horloge gekeken hoelang mijn geheime boodschap
duurde. In drie keer moest het lukken, van drogist naar
drogist, telkens met twee plastic tassen vol luiers. Ik
wist waar de bagagekluizen in de stationshal waren. De
nieuwe middelgrote linnen koffer op wieltjes kon er met

gemak in. Lichtgewicht en wendbaar en met een enkel gebaar dicht te ritsen. Een van de drie verkoopsters in Den Haag had voorgedaan hoe het moest en ze hadden mij een goede reis gewenst. Dat ik niet verder ging dan Gouda, heb ik maar niet verteld.

Ze zouden het niet geloven, die dames, dat ik hier naast hun mooie koffer op de smerige plee van de stoptrein zit te worstelen met een plasluier. Met mijn broek op halfzeven. We zijn op Den Haag Centraal, geloof ik.

Rustig aan met je tweede onderwonder. Een, twee, hupsakee. Die zit. Het voelt al beter. Het beetje bobbel strijk ik wel glad. Ik ben er. Het moet maar.

'Is daar iemand?'

'Wacht even. Een ogenblikje nog. Ik kom eraan. Ik kom.'

Het kind van de non

Ze zijn er sinds mensenheugenis, de nonnen van het Hofkwartier. Ik heb me laten vertellen dat ze er al woonden vóór de graven van Holland, de prinsen van Oranje, de predikanten van Calvijn en de eerste honderd Hollandse linden die keizer Karel de Vijfde langs de Hofvijver liet planten. Ze leefden in kloosters en in kerken, waar ze goede werken verrichtten en moesten schuilen voor reformaties en revoluties. Maar ze hielden stand, de zusters. En nu wandelen en fietsen ze opgewekt door de Papestraat en de Prinsenstraat, met hun wapperende habijten. Als in een liedje van Wim Sonneveld. Ze zijn weer jonger van jaren, valt me op, net als hun broeders van Sint Jan die hier op sandalen hun contemplatie vinden tussen het geroezemoes van de kroegen.

Je kijkt er tegenwoordig niet vreemd van op als een groepje monniken er op een lenteavond in muisgrijze pijen arriveert en door de zusters hartelijk verwelkomd wordt, alsof ze van een verre pelgrimstocht zijn teruggekeerd in de schoot van de Haagse orde. Soms hoor ik achter de dikke muren van het oude klooster de serene muziek klinken van een gebedsconcert. En er is een verscholen kapel en een winkeltje waar nog bidprentjes voor het raam liggen en kinderbijbels.

Ten minste één non heeft een omafiets, zoals alle meisjes in de stad. Ze rijdt erop alsof het rijwiel vleugels heeft, en met zo'n vrolijk gezicht alsof ze altijd een goede boodschap rondbrengt. Ze heeft dan wel haar melkwitte sluier van Jezus strak om haar smalle hoofd gewikkeld, dat neemt niet weg dat er altijd een vermoeden blijft van blonde vlechten.

Alsof de nieuwe dag een stukje van de hemel beloofde, zo monter sjeesde de jonge non gisteren op haar omafiets vanuit de Oude Molstraat de Molenstraat in. Omdat de zuster met haar hoofd in de wolken was, raakte ze met haar wapperende pij bijna een jonge moslima, die op de stoep over haar kinderwagen gebogen stond. Ze remde voortvarend met haar open sandalen, stapte af en bood haar verontschuldiging aan. 'Dat scheelde een haartje,' zei de non. 'Geeft niks,' zei de moslima en ze keken elkaar bedremmeld aan van onder hun hoofddoeken, die mooi en glad om hun hoofd gewikkeld zaten. Kinderen van Jezus en van Mohammed, zowat in botsing gekomen in het Hofkwartier.

'Zit dat niet strak?' vroeg het meisje. 'Het valt mee, hoor en ik ben eraan gewend,' zei de kloosterzuster, die met een zangerige zachte g liet weten dat ze Maria Theresa heette en zo te horen uit Limburg kwam. 'Zeg maar Maria, dat was ook mijn meisjesnaam thuis,' zei ze. 'Ik heet Fatima,' zei de moslima en ze bekeken elkaars hoofddoeken uitvoerig. De vrolijke non liet weten dat al haar zusters in het klooster om de hoek precies hetzelfde droegen, ook hetzelfde habijt en dezelfde sandalen.

'Dat dragen we al eeuwen. Het hoort bij ons katholieke geloof, net als de mooie witte hoofddoek bij het geloof van jou, bij de islam,' zei Maria Theresa. Het klonk aardig en

146

openhartig. Fatima leek te denken: Maar mijn hoofddoek is wel vlotter, die van jou bedekt meer van je gezicht. Maar dat zei ze niet. Ze vroeg alleen of niemand hun hoofddoek raar vond, of ze niet werden nagekeken, of het wel mocht, of het nooit verboden was? 'Verboden? Nee hoor,' zei Maria Theresa, 'zo zijn wij niet, Fatima, geloof mij maar.'

Ze gaven elkaar een hand en glimlachten naar elkaar en toen kreeg de non zomaar het kindje uit de wagen aangereikt. Ze mocht het vasthouden. Maria Theresa wiegde het en hield het boven haar hoofd, hoog in de lucht, alsof ze het zegende, alsof ze het aan iemand opdroeg. Zo zie je maar weer wat door alle tijden heen vanzelfsprekend blijft, dacht ik en ik glimlachte, met mijn twee stokbroden, voor de deur van het bakkertje.

Ik was op dat moment de enige getuige en ik dacht: Als ik het nog kon, dan zou ik dit moeten filmen. Het kriebelde nog steeds, mijn oude vak. Kijken met een camera. Wat er op dat moment gebeurde was al bijna film. Allah en God in de Oude Molstraat. Twee geloven met een zuigeling ertussen. De verzoening. De kleine Mohammed heel even een kindje Jezus, in Marokkaanse doeken gewikkeld in de armen van een kloosterzuster. Ik zag de titel al voor me: *Het kind van de non.* Ik wist toen niet dat het verhaal nog moest beginnen.

Plotseling was er paniek in de straat. Het ging om de baby. De non liet het kind niet meer los. Ze hield het met twee armen tegen haar pij geklemd en met haar ellebogen verweerde ze zich tegen de jonge Marokkaanse moeder, die in alle staten was. Ze trok aan haar kind, riep: 'Hij is van mij, hij is van mij', en begon de non te schoppen en te slaan. Maar de non was groter en sterker en riep, terwijl ze op haar fiets wegreed: 'Straks krijg je hem terug, hoor.'

En daar ging ze, de smalle straat uit, met het kind in haar ene arm en het stuur behendig in haar andere hand. Ze slingerde niet eens. Ze reed alsof ze vleugels kreeg in de richting van de Grote Kerk.

Fatima schreeuwde moord en brand van achter haar kinderwagen, keek om, rende op mij af en schudde me door elkaar: 'U moet achter haar aan, meneer, mijn kind is gepikt.' Ik ben de zeventig al een eindje gepasseerd, dus de kieviet is uit mijn benen. Ik zei, met mijn stokbroden hoog in de lucht, alsof ik me overgaf: 'Roept u de jonge bakker.' Huilend rende ze de bakkerswinkel binnen en trok de hulp achter zijn verse broodjes vandaan, de straat op. Ontredderd wees ze hem waar haar kind verdwenen was. De jongen zei dat zijn auto te ver weg stond en dat rennen niet veel zou helpen. De voorsprong was al groot. 'U moet naar het klooster aan de overkant gaan,' zei hij. 'Daar wonen ze, de nonnen.'

De moslima liet haar lege kinderwagen onbeheerd bij mij achter, rende naar de overkant en stormde de oude kapel binnen. Even later kwam ze naar buiten, omringd door geschrokken nonnen. Ze wees met beide handen naar de Grote Kerk, op de Dagelijkse Groenmarkt. Ze kermde en wist zich geen raad, liep tussen de nonnen heen en weer, trok hen aan hun habijten en probeerde hen in beweging te krijgen, in de richting van de vluchtweg van hun medezuster. Maar de schrik was kennelijk zo groot dat niemand een sandaal bewoog, als een levende beeldengroep.

Een kleine politieauto, die straat en stoep altijd behendig benutte, scheurde tegen alle verkeersregels in met loeiende sirenes tot de blote tenen van de nonnen. Er sprongen twee jonge agenten uit, van wie er een afkomstig was uit het land van de moslima. Ze klampte hem onmiddellijk aan en begon de hemel aan te roepen in een taal die niemand van ons verstond. Althans, daar leek het op, want ze keek voortdurend omhoog, terwijl haar woorden op kleine ontploffingen leken.

Het was een ontsteltenis die je hier op een doordeweekse dag niet zo vaak meemaakt en er ontstond een oploop van jewelste. Het valt ook mij niet meer op dat hier mensen uit alle windstreken zijn neergestreken door de eeuwen heen, dat vreemdelingen hier niet bestaan; ze zijn buren die hier blijven wonen of verder reizen, als heimwee groter wordt dan Den Haag.

Voor zover ik weet wordt hier niemand met de nek aangekeken. Zand en veen worden hier al eeuwen prettig gehusseld met kruiden en specerijen. Vanuit Frankrijk, Portugal, Wenen en Rome kwamen ze naar hier, en vanuit Praag, Boedapest en Warschau, en later Indië en China en weer later uit Tunesië en Marokko en Suriname en Egypte en Bangladesh. Immigranten en expats. Tot op de dag van vandaag. Net als ik eigenlijk, want mijn moeder kwam uit Parijs. Een verre grootmoeder moet een wilde Spaanse in Den Haag zijn geweest en van mijn vaders kant waren het hugenoten. En ik reisde de wereld rond met mijn camera.

Ook de familie van het naaiatelier uit Turkije kwam nieuwsgierig naar buiten en de Egyptische eigenaar van de lijstenwinkel en de beeldende kunstenaar uit Nigeria en de familie uit Bangladesh die een avondwinkel bestiert, en niet te vergeten het verlegen meisje uit de Bourgogne, dat Juliette heet en een kleine boulangerie is begonnen. En Judith van het stamcafé, op haar fiets vol bloemen. En natuurlijk alle kappers die hier in een en hetzelfde kwartier de schaar met elkaar kruisen. Coiffeur Pierre tilde – charmant als altijd – zijn kleine Chinese collega even op, zodat zij over de geschrokken hoofden heen nieuwsgierig mee kon kijken.

Ze waren er allemaal, alsof het kloppertje van toen in een flits langs alle deuren was gegaan. Want de vioolbouwer, de slager, de juwelier en de vrouw van de ambassadeur, die zelf in het buitenland verbleef, waren komen opdagen, en geloof het of niet, het hofdametje dat altijd incognito het hondje van Hare Majesteit uitlaat, kon haar nieuwsgierigheid ook niet bedwingen. Ook de jonge architect kwam struikelend op het rumoer af. Gevolgd door de oude rector die van Duitse origine was en alles wist van de schrijver Thomas Mann. Hij vroeg aan iedereen wat er aan de hand was.

Hij kon net niet meer zien dat Fatima in het politiewagentje sprong en de Oude Molstraat uitscheurde en met piepende remmen even verderop bijna tegen de monumentale muren van de Grote Kerk knalde. Wie nog meer nieuwsgierigheid in de kuiten had, snelde er als vanzelf achteraan. Ik niet, ik bleef achter met de oude rector. Met onze stramme benen. We wisten hoe het hier gaat met lopende vuurtjes. En inderdaad, de jonge bakker, die zijn winkel niet te lang in de steek kon laten, kwam vertellen dat de fiets van de non tegen de kerk lag en dat de grote deuren van het voormalige godshuis vergrendeld waren en moesten worden opengebroken. De non had zich er vast met het kind verschanst.

De rector en ik knikten beleefd naar het hofdametje,

dat naast ons was blijven staan en twijfelde tussen plicht en nieuwsgierigheid. Ik zag dat het hondje won en aan haar trok. Het was een tafereel als uit een oude prent, hoe ze voortdurend omkijkend door de Koningspoort naar het hek van het paleis trippelde, dat vanzelf voor haar openging.

We besloten toch maar even polshoogte te nemen: ik met mijn stokbroden en de rector met zijn wandelstok. Halverwege werden we vergezeld door een vijftal paters van Sint Jan die uit het klooster kwamen, met blote voeten in hun sandalen en lichte paniek in hun ogen. 'Het is Maria Theresa, de jongste en een beetje eigenwijs. Ze wil oud stof van het geloof afblazen. Ze heeft net nieuwe sportschoenen en jogt iedere dag over de Scheveningseweg, om niet alleen de geest maar ook het lichaam soepel te houden. Ze wil modern zijn. Allah en God zijn volgens haar vrienden. Begrijpt u dat? Weet u waar ze gebleven is? Ik ben pater Johan.'

We wezen naar de kerk en moesten onze pas versnellen om de opgewonden broeders bij te houden. Haast is niet goed, dacht ik, zeker niet in deze tijd. Maar je ontkomt er niet aan. Ook ik wil mee met de kleine horde, die ik in grote omvang mijn hele leven lang verafschuw. Ik ben geen kuddedier. Ik wil niet achter de sirene aan.

Maar mijn voeten gingen hun eigen gang, totdat wij bij de kerk aankwamen en zagen dat de grote rode deuren op een kier stonden, waardoor de paters en de oude leraar zich naar binnen wurmden.

Ik deed niet mee. Ik moest aan mijn hart denken, en aan mijn stokbroden. Ik wachtte af. Ik hoorde het wel.

En dat duurde niet lang. Want Pierre de kapper kwam even later naar buiten, omdat hij het niet zonder sigaret

kan stellen. Hij weet als geen ander een verhaal aan te dik-
ken. Hij leeft van romige roddels. Hij versiert ze. Maar
deze keer had hij me echt te pakken, want hij trok mij mee
naar binnen en wat ik zag was verbijsterend.

Alsof er een beeldenstorm had gewoed in de Grote
Kerk. De vloeren waren opgebroken. De oude tegels en
plavuizen lagen als door een explosie verspreid in de
kooromgangen. Tegen de muren stonden uitgerukte
grafzerken en een asregen van gruis en puin had de or-
gelpijpen en de preekstoel weggevaagd. En de gebrand-
schilderde ramen bijna aan het oog onttrokken. Overal
gaapten zwarte gaten van opengelegde grafkelders in het
hoogkoor. In het grootste graf lagen honderden skeletten
bij elkaar. Alsof een kwade hand ze op een hoop had ge-
smeten.

Midden in het enorme schip van de kerk, tussen de
zuilen die grijs waren als olifantspoten, viel het gebroken
licht op de kleine Fatima, die door agenten snikkend in
bedwang werd gehouden. Overal op de kaalgeslagen vloer
stonden buren uit het kwartier dicht op elkaar. En even
voorbij het midden, naast de kleine, bijna onzichtbare
doopvont, stond Maria Theresa. Zij hield het kind met ge-
strekte bleke armen boven haar hoofd. Alsof zij het aan iemand in de hoogte opdroeg. Maar misschien gewoon ook
wel om het aan het kraaien te krijgen, dacht ik. Vervolgens
legde ze de zuigeling voorzichtig neer in de doopvont. Ze
pakte een blauwe plastic emmer en goot uiterst voorzichtig wat water in haar rechterhand. Ze zette de emmer neer
en besprenkelde het hoofdje, en dat deed ze voorzichtig en
bijna elegant. Ze tekende met de wijsvinger van haar smalle rechterhand een kruisje op het kruintje en veegde met
de mouw van haar habijt de druppels van het gezichtje.

We waren er stil van. Ook Fatima. Ook de agenten, die haar loslieten, omdat ze begrepen dat het geen kidnap of kinderroof betrof. En Maria Theresa glimlachte. Met haar heldere blauwe ogen. Ze keek naar ons met een blik die ieder van ons persoonlijk raakte. Ook Fatima, zag ik. Toen pakte ze het kind voorzichtig op uit de doopvont en gaf het met een lichte buiging zonder aarzelen terug aan de moeder. Vervolgens strekte ze haar handen uit naar de agenten om in de boeien geslagen te worden. Dacht ze.

Ik zoomde met mijn ogen in op dit tafereel en bevroor het, legde het vast in mijn geheugen. Het licht viel door de ramen in stofbanen naar binnen en hechtte zich aan de hopen schedels boven op de opengebroken zerken en omwoelde graven. En het ving de hoofden en schouders van Maria Theresa en Fatima en van de omstanders. Ze stonden dicht op elkaar, tot aan hun middel in het duister. Het zag eruit als een samenloop van angst en nieuwsgierigheid, van onheil en heiligheid, ter plekke gestold.

Ik sloop ongemerkt weg en las terloops op een prikbord in het portaal dat er tijdens de restauratie in de Grote Kerk niet alleen duizenden Haagse knekels waren gevonden, maar ook het verdwenen graf van de dichter Constantijn Huygens en zijn zoon.

Ik keek op mijn horloge en zag dat het vijf voor twaalf was. Nog geen uur geleden kocht ik mijn twee stokbroden. Ze hadden het verhaal ongeschonden doorstaan.

Mijn spookneefje

Ik herinner mij niets van mijn vader. Zelfs niet wanneer hij begraven is. Mijn moeder was er op een dag niet meer. Weg was ze. Verdwenen onder de gebroken fotolijstjes in de vuilnisbak. Met mijn geheugen is niets mis, alleen van mijzelf en van mijn ouders weet ik nauwelijks iets. Van mijn hele familie trouwens niet, die zie ik sowieso snel over het hoofd. Van mijn jeugd weet ik niets en van mijn pubertijd niets. Ook niet van mijn eerste verliefdheid. Het interesseert me niet. Het heeft me nooit geïnteresseerd. Geen snars.

Niet dat ik er last van heb. Ik ben mijn hele leven met genoegen alleen. Ik kan herinneringen niet met mezelf delen. Misschien dat ik ze daarom heb afgeschaft. Lang geleden. Ik ben levenslang enig kind.

Met de bakker hier om de hoek en de kapper praat ik over het weer, de rotzooi in de straat, het hondje van de koningin, hoe slecht het gaat met die arme mevrouw van de overkant en over voetbal en politiek. Gezellige kleine ergernissen. Dat is genoeg. Daar hoef je geen herinneringen van aan te leggen en op te slaan. Dat waait over, nog voor de laatste woorden er over gezegd zijn. Daar hou ik van. Overwaaien. Wegwaaien. Oplossen.

Geen vracht aan verleden in je hoofd en op je schouders. Niet van die knapzakjes met voorbije tijd, met al die hikkende vreugdesprongetjes over wat ik wel niet allemaal heb meegemaakt en wie ik allemaal heb gekend en hoe verschrikkelijk aardig de mensen toen waren en hulpvaardig vooral en fatsoenlijk en beleefd. En dan de riedels om me heen over dat het vroeger beter was en veiliger en dat het maar goed is dat het stuk vreten de oorlog niet heeft meegemaakt en dat je voor de God in mijn jeugd tenminste nog knielde en dat toen alles anders was, mooier, veel minder plat en niet egoïstisch.

Ik heb daar niets mee.

Ik ben niet eenzaam. Ik vul mijn leven met muziek. Niet dat ik ooit naar concerten ga. Nee, ik beluister alles thuis. Een wand vol Bach en een beetje Mozart en de anderen. Maar vooral Johann Sebastian Bach, ik heb alles van hem. Alles wat ik van hem kan vinden. Als er al een god bestaat, dan komt Bach dicht in de buurt. Voor mij is het begonnen bij mijn eerste Matthäus Passion in het K&W-gebouw aan de Zwarteweg. Ik zat daar als was ik alleen in die enorme concertzaal en hoorde een stem onvergetelijk helder 'Aus Liebe' zingen, zonder dat ik wist wat ze zong en dat zij sopraan was en Elisabeth Lugt heette en haar lied een wereld voor mij zou openen die groter was dan het slotkoor dat over me heen denderde: 'Wir setzen uns mit Tränen nieder.' Ik vond het heel erg toen het gebouw voor Kunsten en Wetenschappen door brand werd verwoest. Alsof Bach in brand stond. Ik heb wat krantenknipsels van de ramp bewaard. Ergens in een mapje. Aus Liebe, denk ik. Ik weet nog dat op de avond na de brand de burgemeester het nieuwe theatertje van Paul van Vliet opende met de woorden: 'La Reine est morte, vive le petit prince.'

Bach was het begin van een hartstocht en het is niet meer opgehouden. Aanvankelijk ging ik overal waar het kon naar zijn muziek luisteren, maar ik was niet eens zo heel erg oud toen ik wist dat zijn muziek het mooiste klonk voor mij alleen. Zonder bijgeluiden en bijval. Zoals Glenn Gould zijn *Goldbergvariaties* speelt, daar hoort niemand bij. Dat wist de pianist: ik ben met Bach alleen op de wereld. Ik speel voor hem. En dat hoor je en zo voel ik het. Ik luister alleen.

Het eerste wat ik iedere morgen doe is zachtjes met Bach beginnen. Ik zet geruisloos thee, eet mijn yoghurt onhoorbaar en lees de krant. Ik maak mijn kleine wandeling, doe wat boodschappen en slaap iedere middag een kwartiertje op de bank. De televisie is er alleen voor het nieuws en achtergronden, en wanneer er ergens iets bijzonders van Bach wordt uitgevoerd. Met de Matthäus ben ik heel kieskeurig, de meeste sla ik over. Alleen die van Philippe Herreweghe uit Gent was prachtig. Daar kwam Aus Liebe weer terug.

Vlak voordat ik naar bed ga kijk ik even naar Pauw & Witteman. Vooral om Paul Witteman, sinds ik weet van zijn liefde voor klassieke muziek en voor Bach. Ik kijk anders naar hem, ik zie een kleine frons als er onbenul aan tafel zit en onverschilligheid. Het geluid van wolken, dat hij in muziek hoort, hoor ik daar maar zelden, alleen toen er laatst onverwacht een koor uit zijn publiek opstond en het prachtige lied 'Auferstehen' zong. Van Mahler, niet van Bach. Maar toch.

Het is niet veel, zo'n dag. Maar voor mij is het genoeg. Ik ben niet ongelukkig in de Annastraat.

Hoewel, in dezelfde Annastraat stond de voor mij totaal onbekende nicht Anneke vorige week zomaar voor de deur. Ik moest haar wel binnenlaten, haar jas aannemen, thee voor haar zetten en dan ook nog een vracht herinneringen over me heen gekieperd krijgen.

Ik bedoel, het schíjnt dat er een heel feestje is gemaakt van mijn eerste communie, weet-ik-hoeveel jaar geleden. Dat wist mijn oude nicht zich glashelder te herinneren. Jij had een mooi donker colbertje aan, jongen, zei ze, en je eerste lange broek en brylcreem in je blonde haar.

Brylcreem?

Ik heb het later nog opgezocht in de *Dikke Van Dale*. Pommade toen en later een vetkuif. Dat vette spul in mijn krullen, waarom moet ik dat weten? Waar komt het genoegen vandaan om te vertellen dat ik toen mijn eerste lange broek droeg. En dat de pijpen gekriebeld zullen hebben en dat zij mij toen zo'n keurig jongetje vond? Zo'n schattig koorknaapje. Engelachtig, joh.

Engelachtig?

Joh?

En ik zong in een sneeuwwit superplietje. Superplietje? Alleen het woord al. Superplietje.

Ik heb geen herinneringen. En als ik ze al aanmaak, van vorige week bijvoorbeeld, dan gaan ze voor je het weet de afvalzak in en met de vuilnisjongens van dinsdagmorgen mee. Langer dan een week zijn ze er niet, mijn herinneringen. Mijn eerste communie, waar haalt ze het vandaan? Het is een groot geluk in mijn leven dat ik steeds minder mensen om me heen heb, minder familie, minder vrienden, minder bekenden. Helemaal niemand is het mooiste. Nicht Anneke overviel me met haar herinneringen. Ze overmeesterde me met haar dromen. Dat ze ongeveer iedere morgen wakker werd met de herinnering aan nachtmerries die haar achtervolgden. Ja, ze zei nachtmerries. Ze vertelde me dat ze de laatste tijd steeds droomde dat ze verlaten werd, dat ze zich door iedereen in de steek gelaten voelde, dat de mensen om haar heen op de een of andere manier boosaardig waren, kwaad en teleurgesteld.

Ik dacht nog: Mens, wees blij, geen herrie aan je kop en geen getrek aan je lijf. Het is een weelde, kind. Maar dat kon ik natuurlijk niet zeggen. Ze zat erbij te janken bijna. Ze zocht houvast bij me, wilde me aanraken, haar armen om me heen slaan, snikken en zeggen dat ik haar enige echte neef was. Althans, zo voelde het. Ze deed het godzijdank niet. Ze vroeg of ik het ook weleens had. Verlatingsdromen. Het woord alleen al.

God, wat was ik blij dat ze ging, dat ze weg was. Aan mij had ze een slechte. Maar dat begreep ze niet. Tweedimensionaal, hè? Een plank voor haar kop. En maar doorkletsen. Heb jij dat nou ook? Ik niet. Maar dat hoorde ze niet. Ik niet. Toen kwam het er plotseling uit. Zonder inleiding. Alsof ze het thuis had ingestudeerd. Ze ratelde als een ouderwetse naaimachine. Jij bent al jaren verschrikkelijk boos op me. Jij achtervolgt me in mijn slaap. Jij hebt je ingegraven in mijn nachtmerries. Het is zo afschuwelijk. Ik kan er toch ook niets aan doen dat ik al jaren in de verte op je ben.

Dat is al zo sinds jouw eerste communie, zei ze. Zou hij nog steeds zo aardig en mooi zijn als toen, zou hij nog steeds die grote blauwe ogen hebben?

Blauwe ogen?

Je hebt ze nog, ze zijn niet grijs geworden. Ik heb het nooit aan iemand verteld. Dat durf ik niet. Ik ben ook alleen gebleven. Er is weleens wat geweest. Maar ik kan het niet, aaien en frummelen en zoenen. Laat staan iets meer. Jij zat ertussen, Thomas Doodeman.

Waar zat ik tussen? dacht ik en ik voelde me voor het eerst sinds jaren ongemakkelijk, uit het lood geslagen.

Ze ging er echt voor zitten, mijn nicht Anneke, of ze nooit meer weg zou gaan. Ze deed haar bril af en veegde met de rug van haar rechterhand snel en bijna hardhandig de tranen uit haar ogen.

'Jij bent mijn spookneefje. Je zit me achterna. Je weet het misschien niet, maar laatst toen ik weer huilend wakker lag, met jou in mijn kop, dacht ik voor het eerst dat jij mijn geweten bent geworden. Snap je dat? Ik was tien en jij zeven. Ik was een grijze muis met een fondsbrilletje en had veel te grote voeten voor mijn leeftijd. Ik had altijd pijn aan mijn voeten, omdat ik geen nieuwe schoenen wilde. Ik had een hekel aan mezelf, alleen begreep ik dat nauwelijks. Ik sukkelde door het leven, kon nooit ergens aan meedoen. Ik schaamde me zoals grote mensen zich schamen. Als jouw vader en mijn vader met elkaar een borrel dronken, zaten ze jou altijd op te hemelen, terwijl ze over mij achter hun grote handen zaten te smiespelen. Dat zag ik. Kleine Anneke met de grote voeten.'

Ik keek terloops naar haar voeten. En moest van binnen grinniken om de buitenmaat. Ik wilde wat opbeurends zeggen, maar het ging niet.

'Begrijp je er iets van? Ik zag jou die morgen toen je naast een beeldschoon meisje met een bloemenkransje in het haar in de rij vrome communicantjes door het middenpad van de kerk naar het altaar liep. Je liep rechtop en je straalde, alsof je ging trouwen. Het orgel speelde voluit. En iedereen knikte naar jou en naar dat meisje. Iedereen zag jullie. Ik ook. Ik zag jou naast haar. Naast dat meisje.'

Meisje? Meisje? Was er een meisje? Ik wist van niets.

'Jullie mochten met z'n allen naast de drie heren staan. Ja, zo noemde je dat, een mis met drie heren. De pastoor en twee kapelaans. En een stoet van misdienaartjes om jullie heen. En het jongenskoor zong het 'Agnus Dei'. Weet je dat echt niet meer? Jij stond met haar vooraan. In het midden. Je zong mee.'

Ze begon het mislied te zingen, mijn nicht Anneke, alsof ze het net nog thuis geoefend had: 'Agnus Dei, qui tollis peccata mundi, miserere nobis.' Ze tetterde het bijna in mijn oor. Ze kwam gevaarlijk dicht bij me en vertaalde het ook nog in de woorden die ik vergeten was: 'Lam Gods, dat wegneemt de zonden der wereld, ontferm U over ons.' Ze zong het drie keer achter elkaar om mij de herinnering in te peperen en hield daarbij haar armen in de lucht, als een dirigent van niets. Ik keek in haar oksels en zag ontstellend veel haar.

Lam Gods. Zonden der wereld. Wat voelt het toch als een weelde om altijd met een leeg hoofd wakker te worden en ongestoord voor je uit te staren. Geen enge dromen over zoiets onbenulligs als eeuwig verliefd zijn op een verre neef van zeven. Hoe verzint ze het.

Ze was nog niet uitgezongen, toen ze de vraag stelde of ik me opa nog herinnerde. 'De vader van jouw vader en mijn moeder. Of ben je hem soms ook vergeten, Thomas Doodeman?' En ze tekende hem voor me uit, gehaast en in grove lijnen. Zoals een sneltekenaar dat doet op een kunstmarkt. Er kwam een oude man tevoorschijn, met een ronde buik onder zijn vest, een witte kolonelssnor en pretoogjes.

'Hij trok mij altijd op schoot. Hij knuffelde me met zijn

dikke vingers. Altijd maar weer hop paardje hop. Oma was al dood. Oma heb ik nooit goed gekend. We zijn een keer samen bij hem op zomervakantie geweest. We deden boodschappen met hem. We gingen mee naar zijn stamkroeg, zoals hij dat noemde. We mochten van zijn bier proeven. Jij had altijd schuim op je neus. Zijn huishoudster heette Trijnke. Stoomtrijnke noemde hij haar, als ze puffend met het eten binnenkwam. Ze bakte grote taarten met de bramen die we in het bos plukten. Opa woonde in een huis bij een groot sprookjesbos. Er waren wel tien kamers. Op zolder hingen al zijn uniformen uit het leger. En drie glimmende zwaarden en een paar pistolen. Mijn galazolder, noemde hij het. We wisten niet wat gala betekende, maar wel dat het er deftig uitzag. Hij was generaal of kolonel. Opa was een hoge ome. Een dikke hoge ome.'

Anneke lachte voor het eerst om zichzelf. Ik niet.

'We mochten bij hem in zijn grote bed slapen. Ieder aan een kant. Jij en ik en opa.'

Jij en ik en opa?

Ik schrok. Alsof ik uit een lange slaap hardhandig wakker werd geschud.

Jij en ik en opa?

Ik en opa?

'Je hebt verschrikkelijk gehuild,' zei mijn nicht. 'Je wilde naar huis. Ik kon je niet troosten. Je had heimwee, zei opa, dat komt voor bij kinderen. Het gaat wel over, zei hij tegen jouw moeder toen ze ons kwam halen. Ik vond het jammer, maar ik ben maar met je meegegaan. Je hebt de hele weg terug niets tegen ons gezegd. Ik weet nog dat ik bang was dat jouw hart stilstond, zo verstard zat je naast me. We konden niets met je beginnen. Dat weet je vast nog wel. Dat moet.

Kijk niet zo ongelovig, Thomas Doodeman,' zei ze en ze priemde bijna met haar wijsvinger in mijn ogen. 'Als je dát vergeten bent...'

Toen was het genoeg en heb ik haar met een smoes en met zachte dwang de deur uitgezet. Ik was mijn afspraak bij de tandarts haast vergeten, riep ik. Ik moest rennen.

Ze had een kier in mijn hoofd gekerfd. Er probeerden schaduwen binnen te dringen. Er wrongen zich paniekerige beelden doorheen. Alsof ze klem zaten en geen lucht kregen. Ze mochten in geen geval naar binnen. Nooit.

Ik liet haar gehaast uit, mijn nicht Anneke, en deed zelf mijn jas al half aan. Ik duwde haar bijna naar buiten. 'Jouw opa ken ik niet. Ik weet niets van die man. Wie bedoel je?'

Met de deur sloeg mijn hart dicht. En mijn hoofd. Weg ermee. Rust. Thee.

Een moord voor een kop thee. En voor Bach. Aus Liebe. Dat is het.

De reis van Benjamin Klein

Geleidelijk aan, zonder dat hij er veel van had gemerkt, was onverschilligheid een deugd geworden,
een dagelijkse weldaad. Met de jaren was de interesse in
de dingen om hem heen ingedut, als een middagslaapje
dat uiteindelijk de hele dag beslaat. Hij had geleerd zich
nergens meer iets van aan te trekken, alles van zich af te
laten glijden, alles weg te wuiven of te ontkennen als het
zo uitkwam.

Een mening had hij eigenlijk nooit echt gehad. Hij
praatte iedereen met gemak naar de mond en ach, links
en rechts een beetje slijmen en vleien hield je op de been
tegenwoordig. Iedereen om hem heen had het immers
over verwarrende tijden en daar liftte hij op mee, met alle
dooddoeners die hem in leven hielden.

De huid van een olifant zat hem inmiddels net zo gemakkelijk als de zwarte overall die hij had gedragen toen hij als
tegendraadse Hamlet begin jaren zeventig de prins van
Denemarken speelde. Als een antikapitalistische rebel.
Het was een opmerkelijke voorstelling geweest, bij het politieke actietoneel van die dagen. Hij had er de voorpagina
van *de Volkskrant* mee gehaald, omdat ze voor de poorten
van de ENKA-fabrieken in Breda hadden gespeeld, als on-

derdeel van een wilde staking van de arbeiders daar.

Met de tekst ZIJN OF NIET ZIJN op een spandoek had hij boven zijn hoofd gezwaaid en van Ophelia hadden ze een feministe gemaakt, die met hem de barricaden bestormde. En Hamlets moeder speelde de corrupte vrouw van een graaiende fabrieksdirecteur. William Shakespeare mocht dan volgens de critici van woede en schaamte hebben liggen woelen in zijn graf, Benjamin Klein had toch maar mooi met zijn blonde kop op een foto in de krant gestaan.

Hij had de pagina in zijn geheel laten inlijsten en die had hij als een trofee jarenlang op een opvallende plek in zijn kamer laten hangen. Tot de tijd terugkeerde in haar zandsporen en nieuwe generaties toneelspelers hun schouders ophaalden voor de onzin van 'verbeelding aan de macht' en tomaten gooien naar respectabele, oude collega's.

Op een avond – ook al weer tien jaar geleden – was hij dronken thuisgekomen en gevallen over de stofzuiger, die hij onbeheerd had achtergelaten. Met zijn hoofd was hij tegen de erelijst geknald. Glas stuk, flinke schaafwond op zijn voorhoofd en overal scherven. Hij had scheldend en tierend alles en iedereen vervloekt, was met een theedoek om zijn gehavende kop in slaap gevallen en had pas de volgende middag de puinhoop opgeruimd. Er zat bloed op de pagina, precies over zijn gezicht. Schoonmaken had geen zin meer gehad, want voor wie? Sindsdien lag de verscheurde trofee onder zijn bed, waar de stofzuiger nooit langskwam en niemand zich bekommerde om het gehavende jongensgezicht.

Je zou vergeelde kranten uit die dagen moeten opduikelen om dat wapenfeit uit zijn leven terug te vinden, want

Benjamin Klein zelf was zijn eerste en enige Hamlet al lang vergeten. Zoals die hele periode in zijn geheugen was zoekgeraakt, haast alles van de vluchtige roem die acteurs omgaf als een zwerm eendagsvlinders. Van die tijd kenden ze hem al lang niet meer, dus was die voor hem ook zoek, opgelost, weggeraakt.

Heel af en toe kwam hij nog weleens zo'n doorgewinterde grijze theaterbezoekster tegen, die hem op straat aanhield om hem te vragen of hij het was, die in de herfst van 1978 in *De drie zusters* van Tsjechov als de ontheemde zwager achter de lege kinderwagen had gelopen. U vergist zich, mevrouw. Het was een ander. Of: Ik ken u toch ergens van, bent u niet de bekende Appel-acteur die en die? Ik? Nee hoor, mevrouw. Want het waren altijd weer mevrouwen, die op hem afkwamen en die alle voorstellingen van de afgelopen vijftig jaar hadden gezien. Hij haatte hen.

Benjamin Klein liet zich op een heldere januarimorgen in een taxi van zijn hotel in Ehrwald naar de trein in Garmisch-Partenkirchen brengen. Hier, onder de majestueuze Zugspitze in een mooie wat anonieme flank van Oostenrijk, kwam hij al jaren in de eerste week van januari. Herr Klein, zoals ze de acteur uit Nederland hier noemden, die sinds jaar en dag bijna iedere avond op televisie te zien is, in een soap die al meer dan tien jaar een kijkcijferkanon is van een van de commerciële netten.

Niemand hier in dit fraai besneeuwde gat in de achtertuin van Tirol wist dat hij het niet verder heeft gebracht dan edelfigurant, in de rol van tuinman die ook de klusjes in huis deed. Zichtbaar was hij al tijden niet meer. Hij mocht af en toe wat mopperen op de achtergrond, maar daar verdiende hij net het rookvlees op zijn boterham mee, want van zijn AOW en het beetje acteurspensioen kon hij zich niet ieder jaar een weekje hotel Spielmann in Ehrwald veroorloven.

Benjamin Klein liep al tegen de zestig toen hij tien jaar geleden Ehrwald ontdekte, een dorp in Oostenrijk, in een uithoek van Tirol. Het trok zijn aandacht in zijn onafgebroken speurtocht in reisgidsen naar deftige maar goedkope winterbestemmingen. Hotel Spielmann, daar hoorde hij, daar kon hij schuilen in zijn laatste restjes verbeelding, achter het masker van de talentvolle Nederlander.

Zo is het gegaan, daar is niets meer aan te veranderen. Hij naderde met rasse schreden de zeventig, maar van koning Lear had hij zelfs nog nooit gedroomd. En naar de schouwburg ging hij al lang niet meer. In het begin bleef hij weg uit schaamte, om maar niet gezien te worden en herkend als iemand die ooit op het toneel had gestaan. Een vage herinnering, dat was het ergste. Maar daarna, ook al weer jaren geleden, verdween de interesse, haakte hij af zonder schuldgevoel, zonder heimwee, zonder een traan te laten. Hij heeft zijn talenten verslonsd, maar daar was hij zelf bij. Hij is als het ware met open ogen ingedut. Niet iedereen kan Hamlet en koning Lear in één leven aan.

Hoewel, als iemand uit Den Haag Benjamin Klein vanmorgen bij het kleine station van Garmisch-Partenkirchen had zien instappen met de zwier van een oude Britse acteur, hij had zijn ogen niet geloofd. De taxichauffeur, die hem van Ehrwald naar de Beierse wintersportplaats had gebracht, had gebogen als een knipmes. Hij gaf hem eerst met een kleine buiging zijn grote donkerbruine hoed en zijn wollen shawl en bracht toen de immense leren koffer naar het perron. Vervolgens bood de chauffeur de acteur een arm en leidde hem ondersteunend, voetje voor voetje, naar de wachtende trein. Hij hielp Benjamin met instappen, bracht hem naar zijn eersteklascoupé, zeulde vervolgens de koffer tot in het bagagevak, nam alweer buigend een bescheiden fooi in ontvangst en bleef staan zwaaien tot de trein uit het zicht was.

Benjamin Klein nestelde zich een beetje kreunend in zijn gereserveerde stoel. Hij kon zijn linkerarm in het gips op het uitklaptafeltje voor hem laten rusten, met zijn omvangrijke buik eronder verstopt. De mitella kon er wel even af, zodat de reizigers de handtekeningen en teksten konden zien die de mensen in het hotel op het gips hadden geschreven. LIEBER HERR KLEIN, GLÜCK AUF! Hij zat erbij als een uitermate tevreden slachtoffer van de wintersport. Hij had alle aandacht, vanaf het moment dat hij een kleine week geleden was uitgegleden op de besneeuwde trap voor het hotel en hij zijn pols gebroken had. Skiën, daar had hij zich niet meer aan gewaagd en aan langlaufen was hij ook nooit begonnen. Het ging hem om de frisse neus en de Oostenrijkse keuken.

Zo ik zit, zei hij tegen zichzelf, in de hoop dat de vrouw tegenover hem zijn gipsverband zou zien. Ze was sportief maar gedistingeerd gekleed. Een okerkleurige coltrui, een zwarte pantalon en bontlaarsjes eronder. Hij viel onmiddellijk voor de broche op de col van haar trui. Antiek, dacht hij. Een leesbrilletje met halve glazen hing aan een zilveren ketting om haar hals. Haar grijze haar viel opvallend natuurlijk op haar smalle schouders. Alsof ze nooit een kapper nodig had gehad.

Hij schoof zijn witte arm wat heen en weer en keek daarbij in het raam en zag zijn spiegelbeeld en dat van haar. Hij was oud geworden. Zij niet. Hij had een dikke bijna kale kop. Zij niet. Zijn ogen zaten bijna dicht in vervallen plooien. Die van haar waren nog steeds verbazend blauw. Ze keek naar hem op, maar zei niets. Ze bekeek hem, dat voelde hij. Alsof ze haar geheugen op hem losliet, alsof ze hem pelde als een ui.

Hij zocht naar een terloopse Duitse opmerking om de stilte op te heffen, over het winterlandschap dat voorbijgolfde, over zijn gewonde pols, maar het hoefde niet. Ze keek hem opnieuw aan en zei, met een glimlach van herkenning:

‘Wie geht es, Hamlet?’

‘Hoe bedoelt u, mevrouw?’

Hij schrok en vergat de Duitse woorden die hij in zijn hoofd bij elkaar aan het sprokkelen was. ‘Du bisst ja doch mein Hamlet?’ vroeg ze. ‘Herken je mij niet meer?’ Ze ging van het Duits over op Nederlands, en toen zag hij het. Zijn eerste en laatste toneelmoeder. Anna de Vreede.

Jezus, daar zat wilde Anna, iedereen zat achter haar aan toen. Ze was ongenaakbaar geweest. Ze was de enige echt aanwezige geweest in hun Hamlet. Ze had toen in de recensie in *de Volkskrant* een paar gunstige zinnen gekregen, waarmee de criticus haar eruit had gelicht omdat zij als enige door de potsierlijk progressieve buitenkant van haar rol was gebroken en de geest van Shakespeare niet om zeep had gebracht. Zij was trouw geweest aan de schrijver. Ze had zich niet tot actiepop laten kneden in een theatrale warboel. Wilde Anna. Ze moest de tachtig toch al gepasseerd zijn. Het was haar niet aan te zien.

'Ik was je moeder, ik was het die met een paarse pruik op en paarse laarzen de boel belazerde waar je bijstond, weet je nog? Ik stond voor de kapitalistische wereld als de ontaarde moeder, die haar eigen nest bevuilde. Weet je dat nog, Hamlet? Ach ja, Benjamin toch? Benjamin Klein, niet?'

De verwarring was zo groot dat hij even zijn handen voor zijn gezicht sloeg, ook omdat hij niet zo snel een antwoord had en absoluut niet wilde gaan stotteren. Maar in het spinrag van zijn geheugen, lichtte wonderwel iets op, kwam er iets naar boven. Dat had hij lang niet gehad, zo'n helder moment. Hij zag haar weer op dat houten podium in de openlucht, met zeildoeken tegen de regen en stakende arbeiders die niets begrepen van wat er op het actietoneel gebeurde. Alleen toen zij opkwam, toen zij haar teksten scandeerde alsof het oorlog was in Breda in plaats van in Denemarken, bij de ENKA in plaats van aan het hof. Jezus, wat was het lang geleden.

'Wat is er met jou aan de hand, Benjamin? Bisst du in Oostenrijk van het toneel gevallen? Jongen toch.' Duits en Nederlands buitelden over elkaar heen. Maar je kon aan haar zien dat ze met gemak overschakelde van de ene taal op de andere. Toen wist hij het weer.

Hij was stinkend jaloers op haar geweest, omdat zij de sprong had gemaakt, vanuit het politieke vormingstheater naar het grote toneel, zonder haar inzet en haar herinnering aan die opstandige dagen te verloochenen. Ze ziet er nog sterk uit, dacht hij. Ze heeft iets van... Elisabeth Andersen. Het kwam weer in flitsjes naar boven. Haar Medea. Haar Mutter Courage. Wie speelde ze ook alweer zo onvergetelijk in Virginia Woolf? Hoe heette ze nou toch? O ja, Martha.

'Ben jij nog bij de begrafenis van Sacha geweest? Sacha Bulthuis. Ik vond het zo verdrietig dat ik er niet bij kon zijn. Ze was onvergetelijk als Lotte in *Groot en Klein*. Heb je die voorstelling toen gezien? Zo sterk en kwetsbaar spelen zie je zelden, Benjamin. Wat Sacha ooit opmerkte, mogen ze van mij boven de deur van ieder repetitielokaal hangen: "Als het mij te makkelijk dreigt af te gaan, doe ik een kiezelsteentje in mijn schoen. Dan heb ik iets om tegenop te acteren." Ik zat in Wenen en hoorde het te laat. Ik redde het niet. Ik mis haar. Ik ben nu onderweg naar München om een voorstelling van Johan Simons te gaan zien. Ik verheug me erop. Pierre Bokma speelt mee. En Elsie de Brauw. Het lijkt wel of de sterken van ons toneel tegenwoordig in het buitenland moeten laten zien wat ze waard zijn. Wat is er toch allemaal aan de hand op dat Binnenhof bij jou, Benjamin? Ik begrijp dat ze de negen muzen het liefst een kopje kleiner willen maken.

Sinds ik niet meer speel, probeer ik zo veel mogelijk te kunnen zien. De hele Medea uit het hoofd zou niet meer gaan. Als er gaten vallen op het toneel, moet je ophouden. Ik ben ze voor geweest, ik dacht toen ik de tachtig naderde: naar Medea gaan kijken is ook veel waard. Dat doe ik. Ik zit mijn laatste jaren in de zaal. En ik geniet dubbel, dat begrijp je.'

Benjamin luisterde maar met een half oor, want de naam van de moeder van Hamlet was hij kwijt. Hij wist niet meer hoe ze heette. Ophelia? Cordelia? God nee, Gertrude natuurlijk, die Duitse in Hamlet!

Hij moest plassen, zijn gipsen arm was inmiddels van lood en zijn mond zat vol meel. Medea en Gertrude verstoren mijn laatste beetje wintergeluk, dacht hij. Wilde Anna is een mooie oude dame geworden, een halve koningin en daar zit ik mee opgescheept tot München. Nog een halfuur.

Liegen dan maar, Hamlet. De leugenaar in hem had zich ontwikkeld met de discipline van een jonge Japanse pianist. Nou ja, leugenaar. Hij vond het meer zijn verbeelding, zijn ruime fantasie. Dat was het voordeel van onverschilligheid. Alle ruimte om met iedereen mee te draaien. De zegen van de overdrijving. Dat had hij tenslotte niet voor niets geleerd. Het ging van een leien dakje in zijn hoofd. Van die tuinman in een soap wist niemand hier in de trein. Hij deed er niemand kwaad mee, vond hij. Hij was er zo aan gewend. Het hielp. En nu in de trein tegenover de grote Anna de Vreede moest hij wel.

'Ik heb me teruggetrokken in de probleemwijken van Den Haag,' hoorde hij zichzelf achteloos zeggen. 'Ik ben bezig met waar het grote toneel geen tijd voor heeft, met jonge buitenlanders zonder vooruitzicht, hangmeisjes en straatvechtertjes. Ik probeer iets met ze te doen, ze de ruimte te geven, een beetje creativiteit. En het werkt, al is het helaas minimaal.'

Benjamin zag tot zijn verwondering dat het werkte, dat Anna geïnteresseerd opkeek. En dus kwam – voordat zij een vraag had gesteld – vanzelf de riedel naar buiten die hij in een achtergelaten krant had gelezen. Het ging bijna vanzelf: 'Ook in Den Haag zijn probleemwijken en achterstandswijken. Werkeloosheid, criminaliteit, heel veel buitenlanders, lastige kinderen, het is uitzichtloos. En het erge is dat buitenstaanders de wijken stigmatiseren. Ik probeer daar iets aan te doen, een steentje uit de muur te wrikken, om door een gaatje naar binnen en naar buiten te kunnen kijken. Of het uiteindelijk werkt? Ik doe mijn best. Ik zeg altijd: ieder likje warme verf in de Schilderswijk helpt.'

Hij was verbaasd over de vloeiende volzinnen, die er zonder hapering uitrolden. Niet slecht, dacht hij, helemaal niet slecht. En Anna de Vreede kon haar verhaal over Medea wel vergeten. Ze zei alleen: 'Wat goed van je, Benjamin. Maar wat doe je daar dan aan?'

Klonk er iets van ironie in haar stem? Had ze hem door? Nog even, dacht hij, nog twintig minuten, dan zijn we in München, stapt ze uit, is ze weg en zie ik haar nooit meer terug.

Hij zuchtte diep en zag zichzelf zitten en dacht: Ze kijkt dwars door me heen, die dikke pens, die leren koffer, die wintersporttrui. Maar zijn ritselende fantasie won het, sprong gewoon naar buiten, niet helemaal tot zijn ongenoegen. Inpikken dan maar, wat hij ergens had gelezen: 'Ik heb met Haagse schoffies in een buurthuis een voorstelling gemaakt. Tien jongens en meisjes. Allemaal allochtoontjes. Zo van de harde straat geplukt. Met al hun verhalen. En veel rappen natuurlijk. Ze hebben er met z'n allen toch maar mooi een opvoering van in elkaar getimmerd. De hele wijk is komen kijken. En de pers was er ook.'

Hij grinnikte vanbinnen want hij zag het, Anna vloog

erin waar ze bij zat. Ze hing aan zijn lippen, voor zolang als het nog duurde. Het deed hem goed. Nog even dan. Volhouden: 'Ik heb weer een groep onder mijn hoede. Twee van die schoffies zitten inmiddels weer op school en doen het goed. En twee jonge moslima's zitten op een beroepsopleiding en willen actrice worden. Ze hebben de geest en hebben een groep vriendjes om zich heen verzameld. Of ik een voorstelling met ze wil maken. Je gelooft het misschien niet, Anna, maar ze willen met mij een Hamlet maken in de Schilderswijk. Als musical.'

O jee, nu slaat het op hol, dacht Benjamin, nu vlieg ik uit de bocht. Maar Anna bleef aan het lijntje. 'Mohammed als Hamlet. Met muziek. Wie had dat ooit van je gedacht, Benjamin. Mag ik komen kijken? Ik ben nog weleens in Den Haag.' Hij kon natuurlijk geen nee zeggen, hooguit dat het wel even zou duren. Gelukkig stond ze toen op. 'München Hauptbahnhof', klonk het. Hij hielp haar zo goed en zo kwaad als het ging onhandig in haar jas. Haar koffer uit het bagagerek pakte ze zelf. Dat lukte hem niet met zijn gipsen arm.

'Gaat het wel met die breuk, straks in de Schilderswijk? Wil je er nog een handtekening op, Hamlet?' En ze zoende hem vluchtig. Dat was hem lang niet gebeurd. Toneelzoenen in de lucht.

Verbeeldde hij het zich, of was er spot in haar ogen te zien toen ze elkaar nog een keer aankeken? Schudde ze daarom meewarig haar hoofd, naast haar koffer op het lege perron, terwijl de trein langzaam begon te rijden en hij met een hand ongemakkelijk zwaaide. Slapjanus. Het woord kwam bij hem op. Hij sloeg het meteen weer van zich af. Als een lastig vliegje.

Bijna thuis, vele uren later, bij zijn overstap van de luxe intercity in de gewone boemel naar Den Haag, kocht Benjamin Klein een krant. Hij las zoals zo vaak in die dagen over leugenaars in de handel, gedraai in de politiek en achterbakse paters in de kerk. Daar ben ik niets bij, dacht hij. Om de tuin leiden hoort erbij. Je beter voordoen dan je bent. De wereld wil bedrogen worden.

Anna de Vreede deed dat toen toch ook, en ze deed het magistraal: Hamlet belazeren waar hij bijzat.

De as van mammie

'De meidoorn bloeit, mammie. Niet alleen in de Kamper-foeliestraat en de Jasmijnstraat, maar ook in de Lavendel-straat. Wolken van bloesem die boven de smalle stammen hangen. Bij een vlaagje wind sneeuwt het. Het dwarrelt omlaag. Er ligt een dun roze laagje op de stoep.

Ik denk niet dat je wist dat er een Meidoornstraat in Den Haag is. Je kwam nooit aan de andere kant van de stad. Je zat ook nooit in een tram. In de trem bedoel ik, mammie. Jouw Frankenslag hield op bij het Lange Voor-hout. En die van pappie al helemaal. Die moest niets heb-ben van al die buitenlanders in de stad. Hij noemde het Turkistan achter het Hollands Spoor, als hij een geestige bui had. Jij waagde je nog weleens met een vriendin in de Bijenkorf, en je kon lyrisch vertellen over de thee en de taartjes van Maison Krul.

Nee, geen gebakjes, kind, táártjes. Weet je het nog?

Ik moet tegen je fluisteren hier in de tram. Er zit geluk-kig bijna niemand op maandagmorgen. Dat hoopte ik al. Twee vrouwen vóór mij en een oude man met een paar-denstaart. Zoiets hoort niet, kind. En dan ook nog in zo'n rare oude rooie jas. Ik hoor het je nog zeggen, mammie.

Het lijkt me trouwens een vriendelijke man. Hij knikte naar me, toen ik hier voorzichtig met je instapte. En hij praat ook een beetje in zichzelf. Hij heeft het met zichzelf vast over de meidoorns die in bloei staan.'

Ze had haar moeder opgehaald in Oud Eik en Duinen. Ze moest er om tien uur zijn en kreeg van een mevrouw in de aankomsthal meteen de cd terug van Paul van Vliet, met haar lievelingsliedje van de kleine Paul die bij zijn vader achter op de fiets zit. Dat hadden ze laten horen. Haar moeder dacht bij het liedje altijd aan zichzelf en haar vader. Ze hoorde het haar nog zeggen: Paul van Vliet is toch zo'n nette vent gebleven. Ook de cd met *Vier letzte Lieder* door Elisabeth Schwarzkopf was erbij, met het lied dat van de engelen komt. En ze kreeg het met de hand overgeschreven gedicht van Leopold mee terug. Het was tijdens de crematie ontroerend helder voorgelezen door haar peetoom, de enige broer van haar moeder. Ze mocht het gedicht van hem meenemen naar haar Haagse hemel.

Ja, Haagse hemel, had hij gezegd. Hij kende zijn zusje.

Ze las een paar regels vluchtig terug, voordat ze alles in haar schoudertas stopte:

O, als ik dood zal, dood zal zijn,
kom dan en fluister, fluister iets liefs,
mijn bleeke oogen zal ik opslaan
en ik zal niet verwonderd zijn.

Ze moest nog even wachten voor een kleine stoet mensen, die uit de ontvangstkamer kwam. Toen ze naar binnen werd geroepen, deed de mevrouw nog een opbeurend woordje en moest ze eerst tekenen, anders mocht haar moeder niet mee.

'Je stond in een soort van hoge thermosfles voor me, zo een waarin koffie volgens jou een bittere smaak kreeg. Ik kon mijn tranen niet goed inhouden. Er is zo weinig van je over. Mammie in een thermosfles, verpakt in een donkerrode wijnkoker. En dan ook nog naast me in lijn 2.

Je weegt meer dan ik had verwacht.

Ik dacht dat as lichter was.

Kijk, het is lente buiten. We rijden nu langs Transvaal en de Schilderswijk. Daar wilde pappie niets van weten. Zijn enige dochter in Transvaal? Met opbouwwerk en buurttheater? Ze had een hoge piet op het ministerie kunnen zijn. Hoge piet, zei hij altijd, ik een hoge piet. Begreep u het eigenlijk, wat ik hier doe? Dat mijn hart hier ligt, al jaren? Toneel maken met die 'Marokkaanse rotjochies'. Pappie begreep het niet, mammie. Alsof ze met z'n duizenden namens Allah de Frankenslag komen bestormen. Hij wist toch dat ze voor een habbekrats werken in de supermarkten waarvan hij commissaris was? En dat ze ook gewoon studeren aan zijn universiteit in Leiden. Ik hoor het hem nog zeggen: In mijn Leie? Dat kan niet.

Ik kwam er niet doorheen, mammie. Zoveel vooroordelen. Alles ketste af op argwaan en onbegrip. Het zit me nog steeds dwars. Ik heb er nooit met je over kunnen praten, mammie. Nooit. Alsof iedereen tegen pappie was. Ik ook.

'Tegen wie praat u, mevrouw?'
'Ik praat in mezelf, meneer.'

'Als je met me mee naar buiten kon kijken, zou je ze hier zien lopen, mammie. Ja, ook mannen met baarden in een jurk. Nee, ze heten niet allemaal Mohammed en ze zijn niet allemaal lui. Ja, er lopen ook moslima's met hoofddoekjes. Kijk maar. Hemelsblauw en lelieblank in jouw woorden. Nee, mammie, ze heten niet allemaal Fatima. Ze hebben duizend namen. Met duizend betekenissen. Je moest eens weten. Ik werk samen met een Turkse vrouw, ze heet Aysun en dat betekent: mooi als de maan. Ik kan je nu hier in de tram er eindelijk wat over vertellen. Vroeger had je er niet veel oren naar.'

Haar moeder had altijd maar met een half oor geluisterd. Het verschil in leeftijd van veertig jaar was te groot gebleven. Toen zij achttien werd, was haar moeder bijna zestig. En haar vader was al vijftig geweest toen hij trots achter de kinderwagen liep, met zijn wondertje van het Statenkwartier. Ze had zich zo vaak een vreemde gevoeld, een voorbijganger, een passant. Sussen wel, troosten niet, zoenen wel, knuffelen niet. Ze had altijd het gevoel gehouden dat haar moeder er nooit helemaal voor haar was geweest. Met de jaren groeide de afstand, de huiver ook en de argwaan. Haar moeder was nooit een vriendin geworden, zoals ze bij haar vriendinnen thuis weleens zag. Voor haar moeder bleef ze een lastig kind. Ook toen ze achttien was.

Zo, ben je er weer. Kam je haar eens, kind, je ziet er niet uit. Doe die eeuwige spijkerbroek toch eens uit. Hoe heet dat waar je heen moet, Paard van Troje? Wie is die Mick Jagger? Wat doen jullie daar eigenlijk? Ze verkopen toch hoop ik geen verdovende middelen, kind? Verdovende middelen, zei ze. Haar moeder was doodsbang dat ze aan de drugs was, dat het daar een wilde boel was. En altijd kwam ze met het slotzinnetje: Laat je vader maar niet zien, hoe je erbij loopt.

Haar moeder wist niets van haar Den Haag, van haar wereld, niets van de komst van de geur van koriander in de stad en van de smaak van jasmijnthee. Ze had het tegengehouden, net als Evelien. Alles wat in haar ogen anders was, mocht niet.

Als ze op weg naar haar werk door de Schilderswijk fietste, had ze het vertrouwde gevoel dat al die mensen die de afgelopen eeuw van heinde en ver naar hier waren gekomen, beschut werden door onze geschiedenis. Door straten en kades van schrijvers en schilders, van dichters en staatsmannen. Van Jacob Cats en Paulus Potter. Van Hooft en Vermeer en Rembrandt.

Ooit, zo fantaseerde ze weleens, zou een van de straten in dit hart van de stad een nieuwe naam krijgen. Die van een jonge Turkse dichter, die iedereen inmiddels kende, die hier geboren was en opgegroeid en in zijn poëzie helder omschreef hoe het was in de Schilderswijk, aan het begin van de nieuwe eeuw. Die met zijn stem en zijn pen van duizenden vreemdelingen, afkomstig uit alle windstreken, Hagenaars maakte, in een natuurlijke, vertrouwde samenhang van stad en wereld. En die noteerde dat de kracht van die samenhang misschien wel het meest zichtbaar werd in de vrijheid van het verschil. Angst voor het onbekende was er niet, en angst om met elkaar anders te zijn ook niet. Zo was het leven, volgens de dichter in de Schilderswijk.

Op de fiets was ze een dagdromer.

'Begin maart was je al ziek, dus ik heb je maar niet verteld dat Evelien en ik op 3 maart zijn gaan stemmen op de Riviervismarkt, bij ons om de hoek. Vanuit de verte leek het op een zachtjes deinend tulpenveld, waar de toegestroomde stemmers bij elkaar stonden. Van dichterbij was het een bonte verzameling hoofddoekjes die rond het middaguur was neergestreken. Het waren Haagse hoofddoekjes. Bij alle uiterlijke vrolijkheid waren we behoorlijk pissig samen, dat zag je. Ja, Evelien en ik hadden ook een hoofddoekje om. We stemden tegen verbieden en uitsluiten en vernederen en verjagen. We kozen partij voor de Fatima's onder ons. Tegen kopvoddentaks. Het woord alleen al, mammie.

Ik deed het voor de kleine Fatima. Ze is mijn heldin. Ze heeft met hart en ziel van een bibliotheek in het Laakkwartier een leesmarkt gemaakt. Weet je hoe ze die noemt? "Supermarkt van de geest." Goed hè? Begrijp je dat, mammie? Misschien ben je nu wel op een plek, waar het er niet toedoet, waar alles wegvalt. Verschillen, vooroordelen, argwaan, cynisme, achterdocht, jaloezie, macht. Ik hoop het voor je. Het is zo simpel. De hemel als de bibliotheek van Fatima. Lezen met elkaar en koffiedrinken en een praatje maken. Meer niet. Je bontjas heb je toch al achtergelaten.'

'We zijn er bijna, mammie. We gaan de tramtunnel in. Ik mocht hier van jullie niet komen. De Boekhorststraat en de Wagenstraat, dat is niets voor meisjes zoals jij. Een rondje stiekem noem ik dat nog steeds. Wist je niet, hè? Je wist zo veel niet, lieve thermoskan. God, die tranen, ze blijven voor je stromen. Ik heb geen zakdoek bij me. En geen plastic tas. Vergeten. Het moet maar zo. Mammie aan een touwtje in een wijnkoker. Je zou het niet hebben willen weten. Je bent best zwaar. We nemen de roltrap en dan loop ik met je over de Grote Markt alsof mijn neus bloedt.'

En daar gingen ze. De terrassen zaten al vol. Bijna iedereen met zijn gezicht naar de zon, die net boven de Prinsegracht uitkwam. Ze had haar moeder nog wel willen vertellen van haar regelmatige bezoek aan de kleine hindoestaanse tempel in de Schilderswijk. En dat de grootste Europese gemeenschap van hindoestanen in Den Haag woonde. En dat een moskee in de Wagenstraat vroeger een synagoge was. En dat ze met Evelien een bloemetje had gelegd op het graf van Spinoza in de tuin van de Nieuwe Kerk. Omdat ze de filosoof zo bewonderden. Om zijn onafhankelijke geest, omdat hij met de blik van een lenzenslijper naar de wereld keek en vond dat iedereen vrij zou moeten zijn om voor zichzelf de basis van zijn overtuiging te kiezen. Het was hun schuilplek geworden. Ze hadden er ook samen staan huilen om Theo van Gogh en om Martin Bril. En even stilgestaan toen ze *Das weisse Band* in het Filmhuis om de hoek hadden gezien en beseften wat het was, wortels van het kwaad. Ze begrepen iets van 'de kiem van angst aanjagen' en van haat zaaien.

'Zo meid, hebbie een goeie fles te pakken. Gaan we een feessie bouwen?'

'Je hebt bekijks, mammie. Ze denken dat we naar een partijtje gaan. We gaan wel op theevisite. Nee, niet in Des

Indes, maar in ons eigen theehuis. We zijn verhuisd naar de Papestraat. Ja, om de hoek bij de koningin. Deftig hè. Evelien heeft haar baan opgezegd. Het is haar theehuis. Ik woon erboven. Samen met haar. Op de eerste etage. Op twee hoog woont een acteur die niet meer speelt. Jij hoopt natuurlijk iemand als jouw Paul Steenbergen of Guido de Moor. We hebben hem nog niet ontmoet. We hebben een stille Hamlet boven ons, zei Evelien. We nodigen hem zaterdag uit, dan gaat het theehuis open.'

Met haar moeder onder de arm liep ze langs de Grote Kerk en botste bijna tegen een jonge non aan, die opgewekt op haar omafiets de Oude Molstraat uit kwam sjezen en meer op de hemel lette dan op Moeder Aarde. Bijna ontglipte de wijnkoker haar. Ze kon mammie nog net opvangen. 'Godver,' riep ze. 'Godzijdank,' zei de non, die onder haar grijze pij geen sandalen droeg maar sportschoenen. Ze zag het goed, witte gympen met lichtblauwe strepen.

'Er is toch niets stuk?'

'Nee hoor, alles zit er nog in.'

In de Papestraat zag ze Evelien op de ladder staan van Klaas de glazenwasser. Klaas hield de ladder vast. Hij hoorde bij de buurt. Hij was er opgewekt grijs van geworden. Een man van alle seizoenen, die de ramen van het Hofkwartier schoonhield.

Evelien bevestigde net een klein uithangbord boven de deur. Dat stond goed in de straat, vond ze. Het was van alle tijden. Wat zou ze als naam gekozen hebben? Evelien hield van verrassingen. Om De Muts hadden ze hard gelachen. Of nog beter Muts. Geen Theemuts. En de Theepot of het

Theepotje was ook gieren geweest. De Theepot van het Hofkwartier. Theezakje, Theezeefje, Theeleut, Theevisite, Theetante, Theetijd. Het was allemaal voorbijgekomen.

En toen zag ze het staan: ROKJESDAG. Ze hielden van de columns van Martin Bril. Van zijn observaties, die de dag vingen vanaf de stoep van onze tijd. Evelien kon het zo mooi zeggen: 'Hij raakt ons aan met zijn woorden. Hij kietelt ons en kijkt voor ons om ons heen en o, wat schrijft hij prachtig.' Waarom hij nou dood moest, begreep ze niet. Ze misten zijn stukjes nog iedere dag.

Evelien had van gietijzer een opwaaiend rokje laten maken, met plooitjes van ijzerdraad. En daaronder hing in ronde letters de naam ROKJESDAG.

Het was stil in de smalle straat op maandag. Het milde licht van de zon raakte alleen de bovenkant van de oude gevels. Er stond alvast op proef een theetafeltje buiten. Met twee stoelen. En een vaas rode tulpen erop. Ze moest er om huilen.

Evelien zag haar vanaf de ladder. Klaas zag de wijnkoker; hij wist ervan. Hij knikte verlegen, hielp Evelien naar beneden en liep bijna achterstevoren met de ladder op zijn schouder de straat uit, met zoals altijd het bungelende sponsemmertje achter zich aan. Hij wilde niet storen. Evelien kuste haar en nam de as van mammie over. 'Dag lieverd,' zei ze, 'ik begrijp zo goed dat je moet huilen. Het is niet niks, met de as van mammie de stad door moeten. Zo licht als een veertje is ze nog steeds niet. Ja, lieverd,' en ze keek vrolijk omhoog, 'het is "Rokjesdag" geworden. Mooi, hè? Bart Chabot komt het hier zaterdag openen. "Voor Martin doe ik alles," zei hij lachend, "zeker een kopje thee op hem drinken in de Pápestraat."'

Evelien haalde de thermosfles uit de wijndoos en zette hem op tafel, naast de tulpen. Ze schroefde de dop er voorzichtig af, keek er even in en kon het kennelijk niet laten: 'Ik bijt niet hoor, mammie. Koekje bij de thee? Café noirtje erbij? Likkoekje zeiden we thuis. Hmmm, likkoekjes. Mammie, als je het nog niet wist, je dochter is een lekker ding. Een geweldige stoot. En we gaan nog trouwen ook. Ja, dat kan tegenwoordig. Dat mag. Dat is niet vies. Of eng. Of ongepast. Of tegen de natuur. Ik hoor het je nog zeggen, mammie: kind, je bent toch zeker niet lésbisch? Waar ik bijstond. En je keek me de deur uit. En je zag niet dat je dochter zich voor alles schaamde en vanbinnen stond te huilen. Je voelde als ijskouwe kak, mammie. Terwijl je de ene dooddoener na de andere kwekte. Lieve kind, wat doet je vader? Dragen jullie op zondag altijd van die rare, wijde broeken? Wat vinden ze er bij je thuis eigenlijk van? Of zijn ze daar allemaal zo? Dat laatste zei pappie, die niet uit de deuropening vandaan kwam en naar ons keek alsof we melaats waren. Het was heel erg erg mammie. Je hebt de liefste dochter van de wereld en we mochten niet met elkaar gezien worden, niet verliefd zijn. Het kon niet, voor de buren en voor onze vrinden en voor de familie. Het is bijna twintig jaar geleden en eigenlijk is het niet veranderd. Ja oogluikend. Voor de schone schijn. De buitenkant. Het decor. Zij daar? O, die Evelien, dat is een vriendin van onze dochter. Terwijl we zo hevig verliefd waren, dat de theeroosjes in uw kristallen vaasjes op springen stonden. U begrijpt, 'Theeroosje' hier boven de deur? Geen denken aan, mammie, het is niet eens in ons opgekomen. Nooit van ze lang zal ze leven, mammie.'

Wat hou ik veel van Evelien. Laat haar maar. Al die woede en teleurstelling, die argwaan en vernedering. Al die vooroordelen, die ze als dunne modder over zich heen kreeg, die steekjes onder water. Altijd alles maar moeten slikken en maar mooi weer spelen. Wat is ze mooi in haar opgekropte woede. En sterk. Laat haar maar. Af en toe glimlacht ze erbij, zie ik. Ze heeft haar verbannen vrijheid terug. Het lucht op. Ze is gelukkig. Het is haar Rokjes-dag.

'En mammie, je weet niet hoe het is, hoe we zijn, hoe vertrouwd het is zonder wantrouwen. Achterbaks bestaat niet. Mammie, je zou het niet hebben willen weten, hoe we samen kunnen komen waar we het liefste zijn. Hoe onze hoogliedjes klinken en hoe Evelien dicht tegen me aan gaat liggen en haar benen om me heen slaat en we ons nestelen in onze liefde en dan inslapen. Theelepeltje liggen, zei Evelien vannacht opeens. Voel je het, we liggen theelepeltje. We kwamen niet meer bij, mammie.'

Evelien draaide de dop weer op de thermosfles en zette de kleine vaas met tulpen er tegenaan. 'We gaan je uit-strooien over zee, vanuit een boot voor Scheveningen. Morgenvroeg. Ja, dat mag, daar heb je geen vergunning voor nodig. Ja, we zijn maar met z'n tweeën. Wij alleen. Jouw dochter en ik. Ik hoor het je nog zeggen: Daar kóm je toch niet meer tegenwoordig.'

'Ordinair hè, mammie, Scheveningen.'

De tong van Johan

'De dood is er tegenwoordig altijd. En het eeuwige leven, Pietje.'

Johan kon het vervolgzinnetje niet laten. De crematie van Jan op Oud Eik en Duinen was ook zo troosteloos geweest. Er was geen traan te bekennen. Allemaal van die uitgestreken gezichten. Er waren geen woorden van afscheid geweest en even had hij gedacht: Moet ik niet wat zeggen? Moet ik niet vertellen hoe lang het geleden is dat Jan z'n levenslied is gestorven? En waarom zijn grote droom een halve eeuw geleden opbrandde, nog voor de eerste groef van de nooit verschenen eigen grammofoonplaat. Hij had het laatste restje herinnering willen ophalen, hoe het klonk, het liedje van verlangen van zijn gestorven beste vriend.

Hij had dan ook achter een hoge zwarte rug zitten huilen toen – en blijkbaar niet alleen voor hem – onverwacht de stem van Richard Tauber achter uit de kist kwam. Op volle sterkte. Jan was er weer even toen zijn levenslied inzette, met de lichte ruis van ver weg: 'Du bist die Welt für mich.'

Zo mooi zingen tranen, Johan.

Hij hoorde het hem weer zeggen. En hij zag hem weer voor zich. Alsof er in een donkere kamer een negatief oplichtte en langzaam foto werd. Van een grote, vrolijke, dikke zingende jongen. 'Hoe vind je mij, Johan. Kan ik het? Kan ik het echt?'

Jan wist het. Zanger zou hij worden. Van het levenslied. Zoals de grote zanger toen in het Kurhaus en op de radio. Hij droomde ervan de Haagse Richard Tauber te worden. Ooit. Er zat fluweel in zijn stem, had iemand tegen hem gezegd. Hij barstte bijna van geluk.

Totdat het meisje met de grote blauwe ogen het anders wilde en hij, aan de haak van verliefdheid, zijn droom verloor. Vaste verkering. Huisje, bedje, kindje en Jan stond voor hij het zelf wist, met een nieuwe kleine Jan in zijn armen, zijn liedje van verlangen weg te wiegen. Hij was tot over zijn oren verliefd geweest en dan weet je niet wat je doet. Zijn beste vriend zag hij niet meer staan. Ach ja, zo gaat dat.

†

Johan had na het verrassende saluut in het crematorium met zijn rechtermouw zijn wangen afgeveegd, en voor de kist had hij langer stilgestaan dan de anderen en 'Dag Richard Tauber' gefluisterd.

Hij was een vreemde in het gezelschap. Ze keken niet naar hem om toen ze naar de koffie en de cake en de paar ongemakkelijke woorden van troost gingen. Verdriet, de armen om elkaar heen en de schouders schokkend tegen elkaar, het was er niet. En nergens was een meisje met blauwe ogen te bekennen. Ook niet in de matte oogopslag van de enige twee kinderen.

Hij was nog even op de voorste bank in de lege aula blijven zitten, tot de kist de grond in zeeg en Jan langzaam wegzakte, het koude vuur van voorgoed vergeten in. Richard Tauber zong nog na in Johans hoofd.

Zo gaat dat, Jan. Er zijn en weg zijn, toen en nu.

Opeens was hij zijn vriend kwijt. Opeens moest Jan in militaire dienst. Opeens beroeps worden. Sergeant-majoor, ergens geplaatst op de Veluwe. In 't Harde, dacht hij.

De Haagse Richard Tauber in een schuttersputje, het was natuurlijk weer een grap van zijn vader geweest. Hij had hem wel kunnen slaan.

Bijna alles was mist in zijn hoofd, maar Jan vandaag niet.

Johan had het geluk van het sterke geheugen van zijn moeder. Maar ook dat versleet en verdween. Ook de zonzijde van zijn moeder. Al was mooi weer spelen hardnekkig in zijn genen blijven zitten. Zijn moeder zorgde voor glimlachjes in zijn geheugen. Zij had de jongens grootgebracht met sprookjes en dat kon ze goed. Als de kleine Johan zijn grote mond hield, tenminste. Doe als Jan, Johan, haal die o en die h eruit. Dat had ze van zijn vader, want die riep altijd: Dag Jan en Jan, want met die oohaa heb ik niks te schaften.

Hij hoorde haar vrolijke stem nog: Er was eens een dikke prinses, die zoveel snoepte, dat ze op een dag als een oranje ballon opsteeg voor de ogen van de hele stad…

Toen Johan naar buiten liep en zag dat de zon scheen en de meidoorn begon te bloeien was hij blij dat hij toch was gegaan. Hij had in de krant in een kleine rouwadvertentie

Jans naam gelezen, met niet meer dan 'namens de familie' eronder, met dank aan een of ander verpleeghuis in Scheveningen. De dode was van 1 april 1930. Dat moest Jan zijn. Van 1-aprilgrappen moest hij als jongen niets hebben. Zijn familie, of wat daar van over was, ook niet, zo te zien. Johan voelde zich als een luis in hun jassen met kolenpijpen.

Ach ja, dacht hij, een man van tachtig in een versleten rode jas en dan ook nog een grijze paardenstaart aan zijn oude hoofd. Wat moet zo'n man hier? Waar komt hij vandaan? Hij zag het hen denken. De schimmen van Jan. En hij was blij dat een van de doodgravers naar hem toe was gekomen en voorzichtig had gevraagd waarom meneer als enige had zitten huilen. En toen had hij verteld dat zijn vader Jan nog uit het leger had gekend en toen die hoorde dat er niemand voor muziek had gezorgd, had hij gesuggereerd dat een lied van Richard Tauber misschien wel passend zou zijn. Voor Jan. Vandaar.

Jan had de tachtig net niet gehaald. Johan had altijd van zichzelf gedacht dat hij het niet zou halen. Nooit van z'n leven, met zo'n warboel achter zich. En nu was hij toch maar mooi al bijna een halfjaar helemaal tachtig. Hij moest de dag plukken, zolang het ging. Niet te veel begrafenissen.

Dat lied. Hij kreeg het niet uit zijn hoofd. Het voegde zich met gemak bij zijn steeds langer wordende toonladder van geheugensteuntjes: 'Du bist die Welt für mich.' Het waren zijn fluitjes in de mist, de deuntjes die uit het steeds naderbij komende schimmenrijk voor de kleine opklaringen zorgden, zoals het lied van Jan vandaag.

De gedachte dat het voor steeds meer mensen om hem

heen zo ongeveer iedere dag oudejaarsdag was, wimpelde hij weg, nog net voor hij lijn 2 instapte. Gelukkig was de tram vrijwel leeg, hij zag alleen de jonge vrouw die vóór hem het crematorium verlaten had, met een mooie wijnkoker. Dat was zijn eerste associatie, want drank kreeg hij niet helemaal uit zijn hoofd en uit zijn genen. Het moest mondjesmaat, dat begreep hij, vanwege het wankele evenwicht en het hinderlijke geklop midden in de nacht op de tochtdeur van zijn hart. En hij wist ook wel dat het enige vet dat hij nog had in zijn lever zat.

Maar de gedachte aan zak en as kwam ook bij hem op, vooral omdat ze er droevig naar keek, naar de donkerrode koker.

As in wijn. Altijd oudejaar. Oudejaarsavond 1929 was geen feest geweest. Hoewel... zijn moeder had tegen zijn vader geroepen, die laat uit zijn werk kwam: Kom gauw kijken, Johan, wat ik hier in mijn armen heb.

En zijn vader had eerst alleen maar lachend geroepen dat het meer moest zijn dan er in zijn loonzakkie zat. Wat een rooie oliebol, was zijn eerste reactie geweest. Het ging diezelfde avond vanuit het café om de hoek als een lopend rotje door de buurt, tot aan het Slijkeinde. Er was een rooie oliebol geboren in de Geest. Een laat kindje Jezus, maar een week over tijd. Nog zo'n melige grap. Maar zijn vader had zijn zoon wel met z'n beide handen boven zijn hoofd getild. Met tranen in zijn ogen. Grote Johan en kleine Johan. Zijn moeder had zijn eerste verhaal door de jaren heen vastgehouden en verzilverd. Er kwam altijd een schepje bovenop.

Zijn vader had met hem staan dansen en hem aan iedereen laten zien. De tranen biggelden echt over zijn wangen. Dat de crisis op straat had gelegen en niet alleen zijn vader, maar de hele buurt en de halve stad zonder werk zat en zonder eten, vertelde ze er nooit bij. Het geheugen van zijn moeder had alleen een zonzijde. Het was en bleef hardnekkig mooi weer onder haar papillotten. Dat was haar kracht. Lachen mocht van God.

Zijn vader had om iets anders gehuild.

Om de ellende in de Geest, de kleine, smalle straat die naar het noorden en westwaarts langzaam oploopt naar wat in de stad het zand heette, richting het Paleis, het Statenkwartier en het Kurhaus aan Zee. En die naar het zuidoosten wegloopt in het Slijkeinde, en vandaar verder in de richting Transvaal en de Schilderswijk. Naar wat het veen werd genoemd, naar de modder van de grens tussen slijk en aarde.

Tachtig jaar later, in een tijd van overal opdoemende crisis, begreep Johan er meer dan ooit iets van. De opgekropte woede toen en de machteloosheid en de vernedering van al die vaders en moeders met lege loonzakjes en lege handen en een lege toekomst. Hongerwinter vóór de oorlog was het. Niets te bikken. Bestond dat woord nog? Iets te bikken hebben.

De verdrietige vrouw in lijn 2 was aan de andere kant van het gangpad gaan zitten. Met de aswijn dicht tegen haar borst aan. En haar armen eromheen. Verbeeldde hij het zich nou, of zat ze er zachtjes tegen te praten? Alsof hij mammie hoorde zeggen. Af en toe wees ze naar buiten.

Alsof ze iets wilde laten zien.

'Tegen wie praat u, mevrouw?'

'Ik praat in mezelf, meneer.'

Ik ook, had hij willen zeggen, maar hij had haar met rust gelaten en naar buiten gekeken en gezien hoe slecht hij de stad waar hij geboren was kende, terwijl hij wel wist van al die vaders uit Marokko en Tunesië en overal vandaan, die in de openbare bibliotheek naast hem de krant kwamen lezen. En van hun zonen die ze moeilijk in de hand konden houden, van hun dochters die dicht bij elkaar ijsjes stonden te eten buiten bij Florencia. Het was altijd hetzelfde liedje als hij aan Florencia dacht. Het deuntje kwam voordringen in zijn kop. Als een draaiorgel onder zijn grijze haren ging het: Florenciaaaa... sinaasappelen, mandarijnen, olienoten, chocolaa... Florenciaaaa...

Het is Valencia, Johan, niet Florencia. Hij hoorde het Jan nog zeggen. Maar dat ging het andere oor meteen weer uit. Het was een van zijn steunhitjes terug in de tijd, met altijd bewegende beelden erbij. In zwart-wit en in kleur. Soms met het snorrende bijgeluid van de draaiende projector in de Thalia in de Boekhorststraat. Tussen de lefgozers bij een rock-'n-rollfilm. In het oude hoofd van Johan begon het flink te swingen. Bill Haley kwam onder zijn paardenstaart meteen binnen op nummer één, naast Florencia: 'Rock around the clock'... Was hij met Jan nog in de Thalia geweest? In ieder geval wel bij Florencia. Dat was hun ijspaleis in de verte, vanuit de Geest. Mooier dan de sprookjes van zijn moeder. Hoe heette de familie toch ook alweer?

O ja, de Talamini's.

Als jongen dacht hij dat het clowns waren of acrobaten

uit het circus. Zijn vader noemde het de ijsfabriek. Je kon er zaterdag aan het eind van de middag de klok op gelijk zetten. Jongens, allemaal een ijssie. Ook Jan, vooruit dan maar. De eerste keer dat ze pinguïns hadden gezien, was op een van de waggelende vrachtautootjes waarmee het ijs overal in de stad werd afgcleverd.

Hij had zijn vader er vlak voor hij stierf nog een keer mee naartoe genomen. Vanuit zijn aanleunwoninkie achter de rollator naar het beste broodje ei. En dan een Italiaans ijssie slag. Aardbei en vanielje. Hij zat zo graag tussen de vaste jongens – en meissies – op het stenen bankie tegen de warme ruiten van de ijssalon aan. Samen met de duiffies in een lentezonnetje. Je kon hem niet gelukkiger maken. En natuurlijk kwam altijd hetzelfde riedeltje: 'Kennen jullie dat gassie naast me nog? Johan is niets veranderd in al die jaren. Dit broekie naast me stak toen hij twee turfies hoog was naar iedereen zijn tong uit. En dat doet ie nog.'

Ze zaten er weer samen. Johan hoorde hem weer met iedereen bakkeleien.

De 'ie' zat er bij zijn vader ingebakken. Zijn moeder was z'n lieffie en zijn meissie, zeker als ie iets van haar gedaan moest krijgen. Jij krijgt op je falie, jochie. Hij miste zijn vader. Hij was al weer twintig jaar dood. De laatste jaren hadden ze eindelijk een beetje met elkaar kunnen opschieten. 'Net als vroeger, jongen, gelukkig ben je weer helemaal terug in De Haag. De Haag, dat was zijn stad gebleven. Zonder vroeger bestond hij niet meer. Zonder toen was er niks meer aan.

Johan had het ook, hij kon er niet meer omheen: vandaag en morgen was hem vaak te treurig, hij kon er niet goed meer bij. Hij had in iets anders geloofd, in wat zijn vader had gezongen toen hij opgewonden van woede thuiskwam, voor de oorlog nog, dacht Johan: Ontwaakt verworpenen der aarde... Daar kon je vandaag de dag niet meer mee aankomen. Dat wist Johan. Het strijdlied hing ontheemd onder aan de notenbalk van zijn geheugen. De klank was zoek. Het geloof weg.

Hij hoorde zijn vader weer: weet je nog dat we in de hongerwinter samen in de rij voor de gaarkeuken stonden te blauwbekken voor een bakkie soep. Je was vel over been, jongen. Er zat geen grammetje spek meer aan. Hoewel hij erbij was geweest, kwam dan steevast: Dat heb jij gelukkig nooit meegemaakt. Achter dat troostende bijzinnetje zat een boel kwaadheid en verdriet bij elkaar gepropt. Niet om hem, niet om zijn vader, maar om iedereen die zich voor nop de pleuris werkte. Om dat duppie op z'n kant. Omdat ze iedere cent moesten omdraaien. Om de armoe. Om de moffen ook. Om die schoft van Mussert. Om de jongens die op de Waalsdorpervlakte waren doodgeschoten. Hij kon het woord Duiters niet uit zijn mond krijgen. Nooit. Het bleven voor hem die rotmoffen.

Opeens wist hij het weer. Richard Tauber duwde in zijn hoofd Florencia opzij. Na de oorlog hadden zijn ouders van hun spaarcenten een kleine radio gekocht en zat zijn vader op zondagmiddag verscholen achter de krant naar een belcantoprogramma te luisteren. 'Du bist die Welt für mich' van Richard Tauber deinde door de kleine huiskamer, 'Ich liebe dich nur dich', en wie zijn stille vader achter de krant had gezien, had tranen over zijn wangen zien lopen.

De vrouw in de tram had ook tranen in haar ogen, zag Johan. Ze liet ze gewoon hun natuurlijke loop, haar prachtige Indische sjaal in, op weg naar de rode wijnkoker. Dochter met moeder op schoot. Het arme kind. Hij dacht aan Lot en aan Flower. Zijn dochter en haar moeder. En Valencia en Richard Tauber en de Rockets verloren het van 'Let the sunshine in'. Net voordat hij de vaste schemer van de tramtunnel binnenkwam, klaarde het lied zijn oude geheugen op. Als zonlicht. Ze waren er weer. Het zong weer, terug in de tijd.

Dag Flower. Dag Vlinder. Dag Sun.

Er waren steeds meer gaten in zijn geheugen. Johan wist waar het zwarte gat van de dood te zien zou zijn. Op een uur dat alles leeg was. Hij keek er niet naar uit. Maar hij piekerde er ook niet meer over. Het lied kwam gelukkig nog steeds tevoorschijn. Op zijn oude dag in de tram op een easy rider met vleugels terug naar Hair. Verborgen onder zijn rode jas. Niemand zag dat zijn versleten schoenen nog van dansen wisten. Niemand zag in zijn hoofd de jonge Johan terug, bijna onherkenbaar gelukkig in het strijklicht onder de bomen van het Vondelpark, opgenomen tussen al die omhooggestoken armen die als halzen van wilde zwanen naar de zon reikten. Niemand zag het uitgelaten meisje dat met honderd anderen in zijn armen viel.

Dag Flower, had hij zich zomaar laten ontvallen. Zeg maar Vlinder, maar je mag me ook Sun noemen. Ze had de schoonheid van drie meisjes en drie namen.

Was het zeven jaar Flower en Vlinder en Sun geweest, of langer?

Dat Lot in mei 1968 van een roze wolk het leven binnenviel, was niet toevallig geweest. Het was het meest dierbare beeld dat hij bij zich droeg en telkens opwreef, zoals hij als kind de eerste ijsbloemen van het raam wegpoetste en dan naar buiten kon kijken en zag dat de sneeuw echt was.

Daar lag Flower, op een veldbed vol strooibloemen, met kaarsen en wierookstokjes om haar heen. Als Madonna lang voor Madonna er was. Met haar kind. Met Lot kraaiend van plezier in haar wiegende armen. Hasjcake en 'Let de sunshine in'. Ze stonden met z'n allen te zingen op een versierde kraakzolder. Dat hij bijna veertig was, vond hij helemaal niet oud. En twintig jaar jonger viel niet op. Zo verliefd, dat kende Johan nog niet. Dat gevoel van vrijheid dat de tijd onbezonnen maakte. Of verzon hij dat, maakte hij het mooier. 'A thing of beauty is a joint forever.'

Was hij het De Haag van zijn jongensjaren ontvlucht, van galg naar rat – zoals zijn vader hem nariep – naar Amsterdam en verder? Of was hij gevlucht, uit angst dat alles thuis misschien wel hetzelfde zou blijven? Dan liever weg en onbereikbaar. Net zo klakkeloos onbereikbaar als twintig jaar later, alleen in een beschilderd busje op weg van weer helemaal niets naar 'Hotel California'.

Het kwam opnieuw in zijn hoofd, op vleugels van de Eagles. Opgewonden en broodmager met net zo'n staart in zijn haar, die hij voor het eerst in een elastiekje had gewurmd toen hij eindelijk in het Vondelpark terecht was gekomen. Altijd zingend op weg naar alles en nergens. Van het beloofde land naar het gedroomde land. Naar weer een hemel op aarde. Fluitend naar sprookjesland. En de prinsessen achter hem gewoon in de steek gelaten. En zijn moeder.

Hij had haar nog over haar ingevallen wangen geaaid, vlak voor ze stierf. Zoals zij het vroeger bij hem had gedaan. Ben jij dat, Johan? Wat ben je mager. Krijg je wel genoeg te eten? Waren dat haar laatste woorden geweest? Of had ze gelispeld dat ze elkaar zo weinig hadden gezien?

Johan zag haar nog sterven met een zuchtje, met de smalle glimlach van een prinses zonder kroontje, toen hij onder het Spui uitstapte en even op een bank moest gaan zitten, voordat hij de roltrap nam naar boven en naar buiten. Hij schudde een paar keer zijn hoofd, alsof het leeg moest. Voor het eerst was hij te oud voor alles tegelijk. Maar het ging niet. Het liedje stokte niet. En dat kwam doordat Vlinder de tunnel binnen bleef vliegen. Flower. Hij zag haar zwaaiend achter op hun witte fiets: Ik ben nooit moe, daar is geen tijd voor, Johan.

Ze was vandaag precies een maand geleden gestorven, veel te vroeg. Nog geen zestig was ze geworden. Hij was niet naar haar begrafenis geweest. Ibiza was te ver voor hem. Lot was er vanuit Kenia wel onmiddellijk heen gevlogen. Ze had hem verteld hoe het was.

Vlinder kon niet meer, Johan.

Vlinder was op.

Flower had op een bed van bloemen gelegen op het strand van Ibiza. Omringd door haar laatste oude vrienden. Ze hadden 'Let the sunshine in' voor haar gezongen. Met de muziek erbij vanuit een versierde toetermicrofoon op een houten terras achter haar.

Ze zongen het ook voor jou, Johan. Dat wilde Flower. Voor Jonny, zei ze.

Voor mij? Voor Jonny? had hij in zijn mobieltje geroepen.

Ik geloofde het ook niet, had Lot gezegd, want niemand kent Jonny meer.

Toch, Johan?

Lot kende haar vader beter. Ze kon door hem heen kijken en dat wist Johan. Ze spaarde hem op afstand.

Hoewel... Ze had hem vanmorgen vanuit Kenia gebeld. Alleen maar om te zeggen dat ze even tegen hem aan moest janken om al die mensen die daar aan aids stierven. Het zijn er zoveel, Johan. Er lopen hier een miljoen aidsweeskinderen huilend naar hun vader en moeder te zoeken. Het is verschrikkelijk. Waar is iedereen, Johan? Wat doen jullie daar in godsnaam? Wie zijn dat, die daar bij jou in Den Haag roepen dat we er hier een potje van maken?

Lot was in alles een arts zonder grenzen en ze kon niet meer, dat hoorde je, al zou ze het nooit zeggen. Het onvermogen om in opstand te komen en om de wereld aan te klagen. Dat was het bij Lot. Johan wist het. Razend en moedeloos tegelijk over wat ze stuitende hebzucht noemde en stuitende onverschilligheid.

Van wie had ze dat?

Niet van hem. Hij had vooral meegeroepen en meegezongen en eigenlijk nooit het achterste van zijn tong laten zien. Je hebt een tong en een pen voor strijdliederen en spandoeken, Johan. Wie had dat ook alweer tegen hem gezegd? Was dat zo geweest?

Lot liep er niet voor weg, ze ging eropaf.

Helpen is beter dan schreeuwen, Johan. Zet dat eens op een spandoek in Den Haag. Stenen hart, koud hart, laf hart, slap hart. Iemand moet toch iets doen.

Johan zei het niet, maar hij was er te oud voor. Hij zag ook wel dat de wereld om hem heen niet meer de zijne was. Maar kwaadheid en ergernis verstopte hij, samen met

moedeloosheid, achter het oude liedje. Want als hij het
waagde in een bui van overmoed, die al lang niet meer
hagelde, een bittere opmerking te maken, dan werd hij
uitgelachen waar hij bijstond. Hij kwam er hier en nu niet
mee weg. Hij kon Lot niet helpen. Hij had de stem niet
meer.

Gaat wat wij waren en wie wij waren dan voorgoed
voorbij?

Op de roltrap de tramtunnel uit gleed hij het zonlicht in,
en hij zag door de grote etalageruiten in de openbare bibliotheek de mevrouw zitten die altijd naast haar rollator
de krant zat te spellen. Ze zag hem en zwaaide. Ze had hem
vorige week op de Vijverberg onder de beroemde Johan
aangesproken met de voorzichtige vraag of hij misschien
de dichter Leo Vroman was. Meneer leek er verduveld
veel op. Twee druppels water met één staartje. Ze had zich
glimlachend verontschuldigd. Mensen dachten wel vaker
dat hij Leo Vroman was.

Hij moest ergens een bundeltje gedichten van hem
hebben, thuis, op het stukgelezen stapeltje met Simon
Vinkenoog en Hans Verhagen en Remco Campert. Ach
ja, *Het leven is vurrukkulluk.* Lag het daar ergens tussen?
Er overviel hem iets van jaloezie. Dat had hij nooit, op iemand lijken die hij zelf had willen zijn. Op een oude dichter in Amerika. Met het geluk van iedere dag schrijven.
Had Jan dat niet tegen hem gezegd? Johan, ik moet iedere
dag zingen en jij moet iedere dag schrijven. Het moet,
Johan.

Er waren wat eigen liedjes geweest, 'Go with the flow',

op de vleugels van geverfde veren. Hij kon het niet meer terughalen. Het was weggevallen. Nee, een Vroman was hij niet tussen al de lezende kranten, die in stilte elkaar vriendelijk groetten en niemand lastigvielen.

Net als zijn vader vroeger zat Johan even later achter de krant onzichtbaar te huilen. Om Flower en Vlinder en Sun. Om zijn in de steek gelaten Lot. Om de woede die er niet meer was. Om Jan ook. En om het tekort, het verlies, het mooi weer spelen. En ook wel om gisteren, toen hij kliedernat van de regen bijna van de stoep was gefietst met de woorden: zo ouwe hippie, ben je soms door de politie van het wiettuintje van je dak gespoten?

Ze hingen al lang niet meer aan zijn lippen. Voor het eerst vandaag was er geen muziek meer in zijn hoofd, alleen vage beelden: Vlinder en Lot die hem uitzwaaiden, terwijl hij nergens naartoe ging. Hij werd zachtjes op zijn schouder getikt door een lezer naast hem, die wees naar een mobieltje op de grond. Het was van hem. Er was een bericht van Lot.

Later, dacht hij.

En toen hij naar buiten liep, langs het Binnenhof en de Hofvijver, had hij geen oog voor de vlucht zwanen die in het lentelicht op het water was neergestreken. Hij stak gebogen de weg over naar de Plaats en keek op van een sliert kinderen die uit de Gevangenpoort op Johan afrende. Nee, niet op hem, maar op Johan de Witt. Hij herkende het gekwetter van de gelukkige schoolklas, die als een vlucht jonge mussen rond het beeld neerstreek. Met glinsterende oogjes keken de kinderen omhoog naar

Johan en een van de jongetjes stak zijn tong uit naar de beroemde Hagenaar.

Het beurde hem op. Alles was weer even op z'n plaats, dacht hij. Het hield hem op de been, zolang het ging. Eerst maar naar de Molenstraat en dan langzaam aan naar de Geest en het Slijkeinde. Stukje bij beetje ging het. Op achtergebleven refreintjes van zijn onverslijtbare goede humeur. Eerst maar eens de volle tachtig zien te halen, mijmerde hij. Gelukkig voor hem was oudejaar nog ver weg.

Wie even verderop, in het verlengde van de Geest, drie maanden eerder op oudejaarsavond 2009 langs zijn raam op de eerste etage van het smalle huis aan het Slijkeinde was gelopen, had Johan bijna uitgelaten kunnen horen zingen, voor de kleine radio die op de lage boekenkast stond, vlak naast zijn bed en de stapels grammofoonplaten en cd's. Hij zong tegen een muur, die tot aan het plafond was volgeplakt met foto's en affiches en losse teksten. Hij zong tegen zijn memory lane.

Ze waren er allemaal bij op zijn tachtigste verjaardag, de liedjes van zijn leven. Als houvast en ruggensteun van zijn niet te vergeten eigen tijd.

Je zag Johan met Flower en Lotje zwaaiend voor Paradiso in de zomer van 1968. En samen, bijna niet te vinden tussen de duizenden mensen bij Pink Floyd op Kralingen in 1970. Ze moesten onder het potloodpijltje staan, naast de handtekening van Supersister.

Je ontdekte Johan tussen George en Barry en Rinus en Cesar voor Rock Palace in de Torenstraat. JUST A LITTLE BIT OF PEACE IN MY HEART, staat er in hanenpoten bij, en:

THE GOLDEN EARRINGS VOOR JONNY DUTCHIE.

Er hingen platenhoezen van Hair en van De Cliché-mannetjes, met eroverheen gekrabbeld: WAARIN ONZE BEIDEN HEREN RIJMEN EN DICHTEN ZONDER DE SLIP VAN HUN HEMD OP TE LICHTEN. Met de groeten van Kees en Wim uit café De Sport.

En Jonny Dutchie met wilde staart en baard en friends boven op zijn busje op Hippie Hill San Francisco, in 1975, hing ernaast.

En provo Johan die met Koosje Koster op de Dam krenten uitdeelt.

REMEMBER JANIS staat er op een affiche van Janis Joplin met ME AND BOBBY MCGEE EN JONNY D erop geschreven.

Op een ander affiche zingt Boudewijn de Groot 'Welterusten, Meneer de President'. VOOR JONNY EN FLOWER (1968).

Op een foto van hippies rond een podium ergens buiten in de velden van Monterey in 1973 is Johan nauwelijks meer te herkennen met zijn waaiende baard en grote gleufhoed. REMEMBER ME, JONNIE D staat eronder. Wie goed kijkt, ziet dat DON'T ervoor is doorgekrast.

En Johan als hulpkabouter in de Amsterdamse gemeenteraad, net zichtbaar achter Roel van Duijn.

En Johan schaterend tussen Ramses Shaffy en Liesbeth List in, in 1965 voor zijn flowerpower busje.

En vlak naast zijn bed, boven de radio, de kleine Johan in korte broek en met zijn blonde kuif, tegen zijn glimlachende moeder aan geleund, op de Haagse kermis van 1935. LACHEN VOOR DE FOTOGRAAF, staat erbij.

Johan had er op de avond van zijn tachtigste verjaardag zowaar nog een beetje voor staan swingen, in een versleten T-shirt, waarop bijna weggewassen het al lang niet meer fluoriserende woord FLOWERPOWER traag meedeinde. De elastiekjes waren uit zijn staart en zijn dunne grijze haren dansten als een sluier over zijn gezicht, toen hij meezong wat hem al jaren overeind hield en hem bij vlagen gelukkig maakte. Het klonk hartverscheurend hoog en hees, met lange uithalen en weinig adem...

'Mamma, oooooh, I don't want to die...' Queen kwam thuis op het Slijkeinde als altijd weer op één binnen. Op de voet gevolgd door 'Hotel California' en 'Imagine' en 'Angie, oh Angie', samen met Flower... 'Angie, I still love you, remember all those nights we cried?'

Je had hem moeten zien meezingen met de Eagles en de Stones en John Lennon en de anderen van de top van 2009. En je hoorde het hem vrolijk denken: Wie zei er ook alweer dat de jaren zestig voorbij waren?

En toen later die oudejaarsavond de muziek van zijn jaren zich opnieuw vermenigvuldigde over de stad en de wereld en iedereen meezong wat hij al zo lang uit zijn hoofd kende, toen kwam zijn eigen stem bijna niet meer uit boven het naderende vuurwerk voor de eerste dag van zijn tachtigste jaar.

Alleen wie toen nog langsliep op het Slijkeinde en omhoogkeek en bleef staan en luisterde, die kreeg vanzelf kippenvel en tranen van Johans stem van achter het raam. Het klonk, voor wie ook treurde dat de zanger er niet meer was, als een klaaglied in een hooglied van alle tijden: 'Laat me, laat me mijn eigen gang maar gaan. Laat me, laat me, ik heb het altijd zo gedaan.'

Niemand, helemaal niemand zag een oude man met een paardenstaart in een veel te grote, versleten rode jas drie uur na de crematie van zijn beste vriend op een lentemiddag in 2010 uit de Molenstraat de Geest in lopen, op weg naar het Slijkeinde van zijn stad.

Niemand zag boven hem, hoog aan de hemel, de vlucht wilde ganzen in hun deinende V van vrijheid, licht jankend in de heldere lucht.

Niemand zag de ordening en de harmonie en de samenhang.

En niemand zag dat er een gans uit de V was gevallen en stuurloos fladderend achterop was geraakt.

Niemand zag dat hij het houvast van geluid kwijt was.

Inhoud